徐薇英文UP學堂・親子共學系列

在家也可聽、說、讀、寫
8小時徐薇老師精彩解說MP3
附教學光碟、每日進度表、自我檢測卷
每天上課、每天驗收
1500個基礎單字迅速"完背"
英單1500字
STARTER(上)
"您"就是您家的徐薇老師!

U0098111

《親子共學系列》緣起

教了二十多年的英文，我真的認為，爸媽才是孩子學好英文最重要的啟蒙老師。

教過數萬名國、高中學生，我發現班上英文程度好的孩子，都有一個共通的特點，就是他們的爸媽從小就很重視培養孩子的英文實力。除了固定送孩子上兒童美語班外，還會在家創造英文學習環境，有的爸媽會每天陪孩子讀英文讀本、聽英文CD；有的會陪孩子看英文教學卡通；還有的爸媽會在家設定固定時段的No Chinese Time，這段時間裡全家都必須講英文。

在父母的陪伴下，英文成為孩子日常生活的一部分，孩子對英文的接受度就會高，效果自然就好，而這樣打下的基礎，讓孩子對自己的英文能力更有自信，也就更想要把英文學好，於是，孩子的英文學習走向了良性循環，英文程度愈來愈好也是理所當然的事。

另外，有些家長，從小就送孩子上兒童美語，接著上國，高中文理補習班，本身也非常關心孩子們的英文，但自己陪伴的時間較少，這些同學表現就不如上面的同學，考大學英文成績約為中上程度；最差的是，家長從小比較不關心孩子的英文教育，那麼，這些同學，到了高中、大學時就比較容易放棄英文，因此，根據我教高中英文二十年的經驗，可以說，在小孩6-12歲英文學習的關鍵期，家長越是重視，孩子們長大以後，英文程度越好。

我認為，小學是奠定孩子英文基礎最重要的時機，但在這個階段中，我也知道很多有心的家長，很想幫孩子創造學英文的環境，卻常苦於找不到適合的教材、覺得沒有時間、或是對自己的英文沒有信心，讓孩子白白錯失了英文打底的最佳時機，這也正是我要推出《親子共學系列》的原因。

在這套系列書中，我們融入了英文學程的概念，將英文元素設計成一堂堂完整的課程，每堂課都有我的詳細解說，爸媽們不用在費心尋找教材的同時，還要擔心自己英文程度不夠好、不會教的問題，只要每天或每週花三十分鐘的時間，陪著孩子一起聽我的教學，再利用書裡的檢測試題做測驗，隨時就能知道孩子的學習狀況和理解程度，不記得的地方還可以一聽再聽，加強印象。

我們首先推出的是《英單1500字Starter(上)、(下)》兩冊，以及《徐薇老師教KK》，之後還會陸續推出片語及文法的課程套書，為爸媽們提供最有效、有趣而且最扎實的英文教學素材。

最重要的是，有了您的陪伴，孩子就不會覺得無聊孤單，能和爸媽一起學有趣的英文，也就更有持續學習的動力，基礎就能打得更扎實，未來學英文當然更有自信。

《親子共學系列》將和您一起，讓孩子的英文學習如虎添翼！

您，就是您家的徐薇老師！

目錄

1 2 3 4 5

現在就開始！Starters, let's GO!

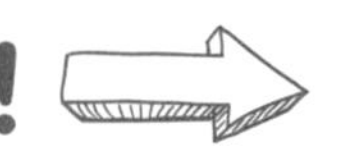

「猜一猜，背單字是男生還是女生？」
「男生！」
「為什麼？」
「因為背單字好 ㄋㄢˊ ～～哦！」

哈哈，會說這句話的同學，你一定不能錯過徐薇老師這套「英單1500字Starter」單字學習書！
大家都知道「開始」叫做Start，字尾加上-er，Starters就是「做開始這個動作的人」，要開始做什麼動作呢？
當然就是「學單字、背單字」的動作囉！

很多同學看到英文就頭大，其實是因為認識的單字不夠多。語言是一種工具，而英文更是和世界做朋友的重要工具，想要掌握這項工具，最基本、也最重要的就是具備足夠的單字力，但是，單字力要如何培養呢？死背？硬背？瞪大了眼背？

不不不，徐薇老師說：「讓我來教你怎麼背！」

比方說，有個很簡單的字叫做nine(九)，看到這個字，先大聲唸出它的音nine，這個字裡有個 -ine 的字母組合發[aɪn]的音，徐薇老師教你用-ine連串拼出至少四個不同的單字，不信？試試以下的方法：

nine = 九 / fine = 好的 / wine = 酒 / mine = 我的(東西)
開始記：九瓶好酒都是我的
nine → fine → wine → mine
看吧，一次四個字，一次背起來，跟著徐薇老師背單字就是這樣簡單！

本書搭配了徐薇老師的精彩單字解析mp3，爸爸媽媽們陪著孩子一起聽，每個單字徐薇老師都會教你怎麼唸、如何背，還有單字的歷史和小故事，再枯躁的單字都可以變得很有趣，加上徐薇老師獨家 bonus 「英文部首輕鬆學」單元，從英文部首理解單字組成的道理，陪著孩子一起學，邊看邊聽，保證大人小孩都能單字力大躍進！

聽完單字解說，爸爸媽媽可以利用書裡的學習計畫表，檢核孩子背單字的進度，一天三個字， 一週一單元，週末時再做一次單元複習，配合使用隨書附贈的自我檢測試卷，您可以清楚瞭解孩子的學習狀況，這也正是徐薇英文UP學的理念，先理解(Understand)、再練習(Practice)，從小打好單字底，長大記字更容易！

跟著徐薇老師學英文，背單字真的一點都不難哦！

頁面説明

拼字怎麼記，拆解給你看，跟著拼幾次，馬上記起來！

跟著自然發音規則唸，字就拼出來了！

單字加補充一次到位，記單字更有效率！

聽徐老師獨門解析，一次就搞懂單字的奧祕

單字怎麼用，看例句就知道！

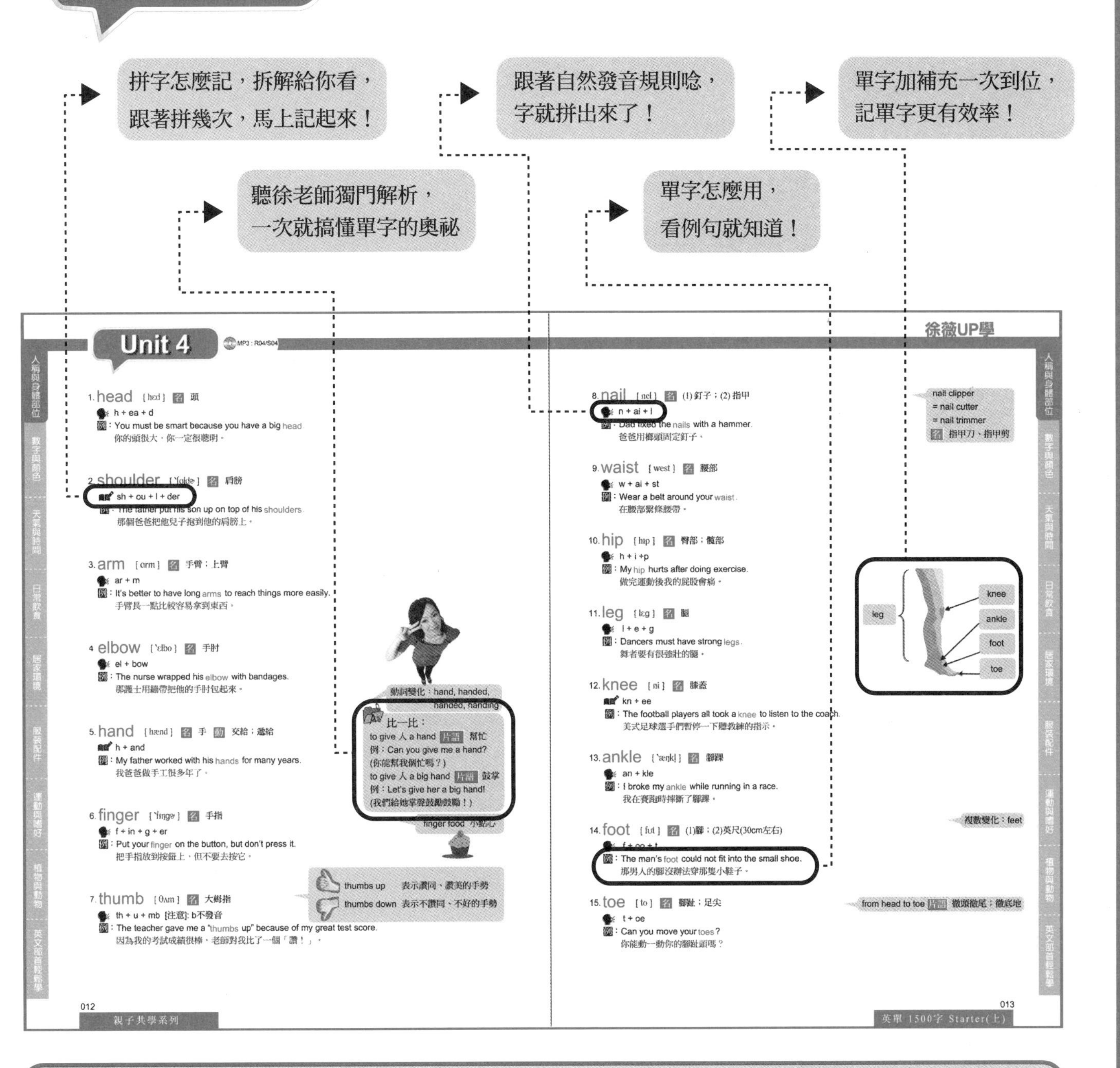

請搭配徐薇老師獨門單字解析MP3及單字拼讀MP3一起學習，透過<學習計劃表>掌握背誦進度，並用隨書附贈的自我檢測卷進行測驗，確認自己英文單字背得清楚又正確。

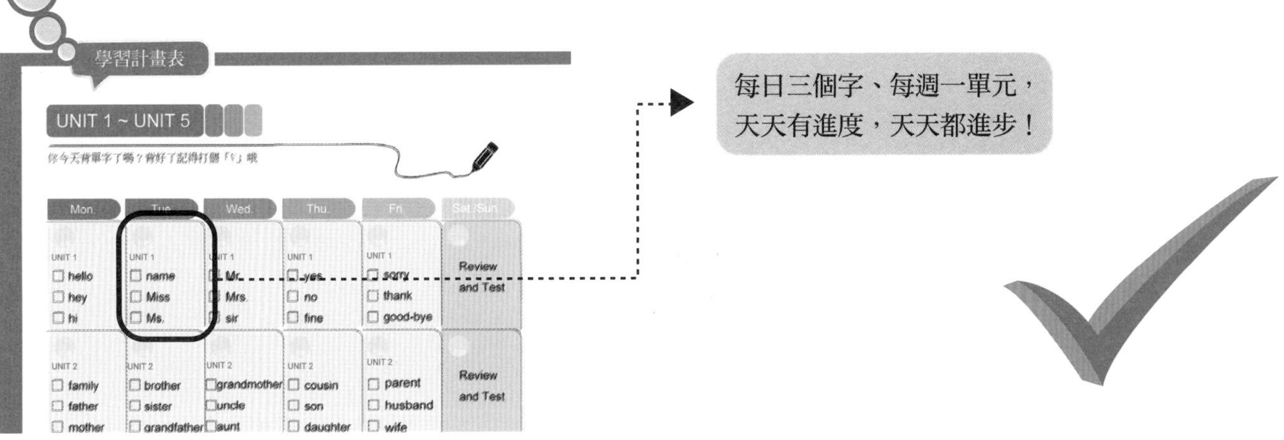

每日三個字、每週一單元，天天有進度，天天都進步！

Unit 1

MP3：R01/S01

1. **hello** [həˋlo] 感嘆 你好；哈囉

he + llo

例：Hello, my name is David.
哈囉，我的名字叫大衛。

2. **hey** [he] 感嘆 嘿；嗨(引人注意時發出的聲音)

h + ey

例：Hey! Don't eat my lunch!
嘿！不要吃我的午餐！

3. **hi** [haɪ] 感嘆 嗨

h + I

例：I say hi to everyone in the morning.
我在早上對每個人說「嗨」。

4. **name** [nem] 名 名字 動 命名；說出名字

n + a_e + m

例：My friend's name is Bob.
我朋友的名字叫鮑伯。

Name = 姓名？

name 中文我們說「姓名」，但中文有「姓」有「名」，英文都只有一個name，要如何區分呢？一般外國人講name時，大多指的是「名字」，如果是指因為家庭而來的「姓氏」，就是在name的前面加上一個英文部首 sur-，這個字首表示「在...的上面」，surname就是「在名字的上面」，也就是比你的名字更高一等級的「姓」，也可以用family name 或 last name 來表示。

5. **Miss** [mɪs] 名 小姐
miss [mɪs] 動 想念

例：Miss Flower is not married yet.
芙洛兒小姐還未婚。

6. **Ms.** [mɪz] 名 女士；小姐

例：My art teacher, Ms. Brown, is very nice.
我的美術老師布朗女士人很好。

7. **Mr.** [ˋmɪstɚ] 名 先生

例：Mr. Thomas is a teacher at my school.
湯瑪士先生是我們學校的一位老師。

Mr. = Mister 名 先生

8. **Mrs.** [ˋmɪsɪz] 名 太太

例：Please wait for Mrs. Smith at the door.
請在門口等一下史密斯太太。

老師教你記：Mr. + Ms. = Mrs.

9. **sir** [sɝ] 名 (1) 先生 (2) (S大寫) 爵士

s + ir

例：Excuse me, sir ? Please sit here.
先生，不好意思，請坐在這裡。

10. yes [jɛs] 副 是；對 名 是；肯定；同意

y + e + s

例：Yes, I think the hot dog is ready now.
是的，我想熱狗現在已經好了。

同義字：yes = yeah = yep

11. no [no] 副 不；無 形 沒有

例：There is no parking close to this building.
這棟大樓附近沒有停車位。

12. fine [faɪn] 形 很好的；精細的

f + i_e + n

例：This is a fine painting with many colors.
這是一幅很精美的畫作，色彩非常多。

Everything is fine!

fine 當形容詞意思是「很好的」，但當名詞或動詞用時還有另一個不大妙的意思指「罰款」。
有個雙關語笑話：新加坡因為法令規定嚴格，所以環境非常整潔有序，有個人就問住在新加坡的朋友生活如何，那位朋友回答 Everything is fine.你可以解讀為「所有東西都很好」，也可以解讀為「所有的東西都要罰。」

13. sorry [ˋsɑrɪ] 形 抱歉的；遺憾的

s + o + rr + y

例：I'm so sorry that I can't go to your house tonight.
我很遺憾今晚不能去你家。

比一比：Excuse me. 抱歉 (向人詢問或請人讓路)
Sorry. 抱歉、對不起 (表示遺憾)

14. thank [θæŋk] 動 道謝

th + ank

例：I want to thank you for the Christmas present.
我要謝謝你的聖誕禮物。

百萬個謝謝

英文裡講「謝謝」最簡單的就是Thank you.可是一直講Thank you.或Thank you very much.
真的很單調，這裡提供幾種表達謝意的不同方式，一樣都是「謝謝」，但是說法更有變化：

* Thanks a lot.
* Thanks a bunch.
* Thanks a million.
* Million thanks.
* Many thanks.

15. goodbye [ˌgʊdˋbaɪ] 感嘆 名 再見

good + bye

例：I hate to say goodbye to my family.
我不喜歡和我的家人道別。

Goodbye的由來

外國人在早上或晚上見面時都會說Good day.或Good evening.，離開時要說什麼呢？在14世紀時，人們離開時會說God be with ye。ye就是you的古字，意思是「上帝與你同在。」但受到Good day、Good evening這種日常用語的影響，後來便出現了Goodbwye的用法，這裡的bwye就是be with ye的縮寫，唸法和bye相同，後來便衍生出Goodbye這個字了。

Unit 2

1. **family** [ˋfæməlɪ] 名 家庭；家人

fa + mi + ly

例：There are five people in my family
我家有五個人。

family tree 名 家族；族譜

2. **father** [ˋfɑðɚ] 名 父親；爸爸

fa + ther

例：My father is a tough man, but he's sweet to me.
我爸是個很嚴厲的人，但他對我很好。

同義字：father = dad = daddy
Like father, like son. 諺語 虎父無犬子。

3. **mother** [ˋmʌðɚ] 名 母親；媽媽

mo + ther

例：Angela's mother cooks dinner for her every day.
安琪拉的媽媽每天為她煮晚餐。

同義字：mother = mom = mommy
比一比：mummy 名 木乃伊
mommy 名 媽咪

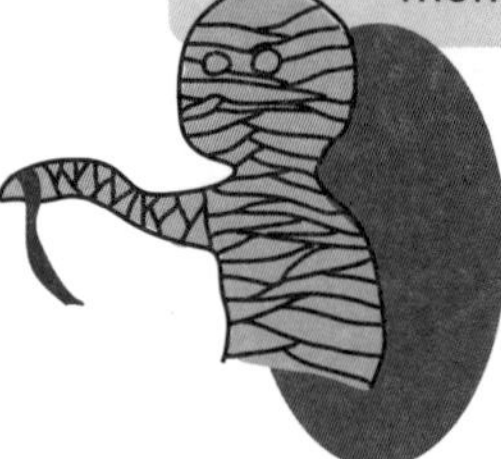

4. **brother** [ˋbrʌðɚ] 名 兄弟

bro + ther

例：My younger brother attends a different school than I do.
我弟弟和我上不同的學校。

5. **sister** [ˋsɪstɚ] 名 (1) 姐妹；(2) (宗教) 修女

sis + ter

例：Sometimes I fight with my sister.
有時我會和我姊姊吵架。

sister 的縮寫：sis

6. **grandfather** [ˋgrænd͵fɑðɚ] 名 爺爺；外公

grand + father

例：Frank's grandfather passed away last night.
法蘭克的爺爺昨晚辭世了。

＊grand 形 堂皇的；壯麗的
＊father 名 父親

同義字：grandfather = grandpa

7. **grandmother** [ˋgrænd͵mʌðɚ] 名 奶奶；外婆

grand + mother

例：His grandmother is eighty-nine years old.
他外婆八十九歲了。

＊mother 名 母親

同義字：grandmother = grandma

8. **uncle** [ˋʌŋkḷ] 名 伯父；叔父；舅舅

un + cle

例：Uncle David is very rich.
大衛叔叔很有錢。

9. **aunt** [ɑnt] 名 姑姑、阿姨、嬸嬸

au + n + t

例：My Aunt Kathy goes shopping every day.
我的凱西阿姨每天都去逛街。

> ant 名 螞蟻

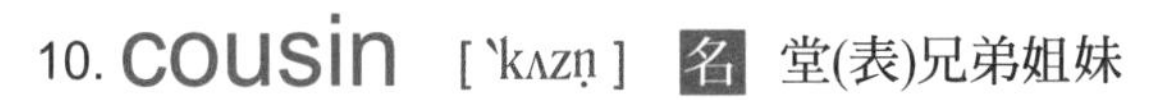

10. **cousin** [ˋkʌzn̩] 名 堂(表)兄弟姐妹

cou + sin

例：My cousins live all over the world.
我的表兄弟姊妹們住在世界各地。

11. **son** [sʌn] 名 兒子

s + on

例：My son likes to play computer games.
我兒子喜歡打電腦遊戲。

12. **daughter** [ˋdɔtɚ] 名 女兒

dau + gh + ter [注意]：gh不發音

例：It is Bob's daughter's sixteenth birthday on Friday.
星期五是鮑伯女兒的十六歲生日。

13. **parent** [ˋpɛrənt] 名 父或母；雙親之一

par + ent

例：My parents have lived in the same house for forty years.
我父母已經住在同一間屋子裡四十年了。

> PTA = Parent-Teacher Association
> 親師會；家長會

14. **husband** [ˋhʌzbənd] 名 丈夫

hus + band

例：Mary's husband is very handsome.
瑪莉的先生很帥。

15. **wife** [waɪf] 名 妻子；太太

w + i_e + f

例：Many years ago, rich men had many wives.
很久以前，有錢男人有許多老婆。

> husband and wife 片語 夫妻

Unit 3

1. **people** [ˋpipl] 名 民族(作單數名詞)；人們(作複數名詞)

p + eo + ple

例：There are too many people in Taipei.
台北人太多了。

2. **person** [ˋpɝsn̩] 名 人

per + son

例：This motorcycle is for one person only.
這台機車只能一個人騎。

＊per 介 每一個
＊son 名 兒子

3. **baby** [ˋbebɪ] 名 嬰兒

ba + by

例：When I was a baby, I ate too much.
我還是嬰兒的時候吃很多。

babysit 動 當保姆

比一比：babysitter 保姆
baby sister 小妹妹；還是嬰兒的妹妹

4. **boy** [bɔɪ] 名 男孩

b + oy

例：Boys love toys.
男孩愛玩具。

5. **girl** [gɝl] 名 女孩

g + ir + l

例：Girls like to wear bright colors, like pink and yellow.
女孩們喜歡穿明亮的顏色，像是粉紅色和黃色。

6. **child** [tʃaɪld] 名 小孩；孩子

ch + ild

例：They decided to have one child only.
他們決定只要一個孩子就好。

複數變化：children

7. **kid** [kɪd] 名 小孩；年輕人 動 開～玩笑

k + i + d

例：Don't get too angry at young kids.
不要對小孩子太兇。

例：Are you kidding?
你在開玩笑嗎？

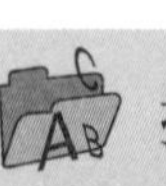

抓小孩的 kidnap

kidnap是意思是「綁架」，它是一個動詞。kidnap = kid + nap，nap原指「抓走」，後來也有打盹、不注意的意思。趁著別人在打盹、沒注意的時候把 kid 小孩子抓走，也就是「綁架」。

8. **guest** [gɛst] 名 客人

gu + est [注意]：u不發音

例：Mr. Davis is our guest, so give him a drink.
戴維斯先生是我們的客人，請給他一杯飲料。

guest room 名 客房
guest star 名 客串明星

Be my guest! = Help yourself! 請隨意！

9. **host** [host] 名 主人；主持人

ho + st

例：Ryan is the host of a famous TV show.
萊恩是這個知名電視節目的主持人。

老師教你記：home 名 家
host 名 主人；主持人

10. **king** [kɪŋ] 名 國王

k + ing

例：The king wanted more and more money.
國王想要越來越多的錢。

11. **queen** [ˋkwin] 名 女王；皇后

qu + ee + n

例：The queen wears very expensive clothes.
皇后穿著非常昂貴的服飾。

女王屬地－Queensland

Queensland是澳洲東北部的昆士蘭省，它是由Queen's(女王的)加上land(土地)兩個字所組成，以「女王屬地」命名是為了向當時的英國女王Queen Victoria致敬。

12. **prince** [prɪns] 名 王子

pr + in + ce

例：Everyone wants to see the prince's wedding.
每個人都想要看王子的婚禮。

Prince Charming 白馬王子

13. **princess** [ˋprɪnsɪs] 名 公主，王妃，太子妃

prince + -ess

例：The princess is loved by all the people.
王妃受到所有人的喜愛。

＊ prince 名 王子
＊ -ess 字尾 表「女性」的名詞字尾

14. **man** [mæn] 名 男人；成年男性

m + an

例：A man is usually paid more than a woman.
男人的薪水通常比女人高。

複數變化：men

15. **woman** [ˋwʊmən] 名 女人；成年女性

wo + man

例：There is a woman at the front door selling flowers.
前門有一個女人在賣花。

複數變化：women

Unit 4

MP3：R04/S04

人稱與身體部位
數字與顏色
天氣與時間
日常飲食
居家環境
服裝配件
運動與嗜好
植物與動物
英文部首輕鬆學

1. head [hɛd] 名 頭

h + ea + d

例：You must be smart because you have a big head.
你的頭很大，你一定很聰明。

2. shoulder [ˋʃoldɚ] 名 肩膀

sh + ou + l + der

例：The father put his son up on top of his shoulders.
那個爸爸把他兒子抱到他的肩膀上。

3. arm [ɑrm] 名 手臂；上臂

ar + m

例：It's better to have long arms to reach things more easily.
手臂長一點比較容易拿到東西。

4. elbow [ˋɛlbo] 名 手肘

el + bow

例：The nurse wrapped his elbow with bandages.
那護士用繃帶把他的手肘包起來。

5. hand [hænd] 名 手 動 交給；遞給

h + and

例：My father worked with his hands for many years.
我爸爸做手工很多年了。

動詞變化：hand, handed, handed, handing

比一比：
to give 人 a hand 片語 幫忙
例：Can you give me a hand?
(你能幫我個忙嗎？)
to give 人 a big hand 片語 鼓掌
例：Let's give her a big hand!
(我們給她掌聲鼓勵鼓勵！)

6. finger [ˋfɪŋgɚ] 名 手指

f + in + g + er

例：Put your finger on the button, but don't press it.
把手指放到按鈕上，但不要去按它。

finger food 小點心

7. thumb [θʌm] 名 姆指

th + u + mb [注意]：b不發音

例：The teacher gave me a "thumbs up" because of my great test score.
因為我的考試成績很棒，老師對我比了一個「讚！」。

thumbs up 表示讚同、讚美的手勢
thumbs down 表示不讚同、不好的手勢

8. nail [nel] 名 (1) 釘子；(2) 指甲

n + ai + l

例：Dad fixed the nails with a hammer.
爸爸用榔頭固定釘子。

nail clipper
= nail cutter
= nail trimmer
名 指甲刀、指甲剪

9. **waist** [west] 名 腰部

w + ai + st

例：Wear a belt around your waist
在腰部繫條腰帶。

10. **hip** [hɪp] 名 臀部；髖部

h + i +p

例：My hip hurts after doing exercise.
做完運動後我的屁股會痛。

11. **leg** [lɛg] 名 腿

l + e + g

例：Dancers must have strong legs
舞者要有很強壯的腿。

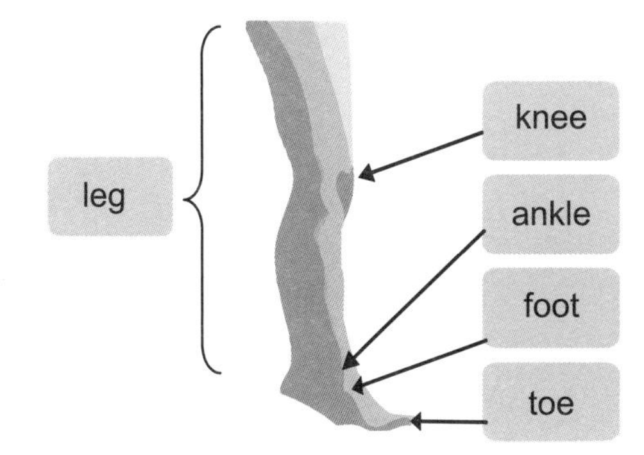

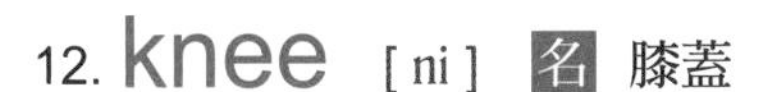

12. **knee** [ni] 名 膝蓋

kn + ee

例：The football players all took a knee to listen to the coach.
美式足球選手們暫停一下聽教練的指示。

13. **ankle** [ˋæŋkḷ] 名 腳踝

an + kle

例：I broke my ankle while running in a race.
我在賽跑時摔斷了腳踝。

14. **foot** [fʊt] 名 (1)腳；(2)英尺(30cm左右)

複數變化：feet

f + oo + t

例：The man's foot could not fit into the small shoe.
那男人的腳沒辦法穿那隻小鞋子。

15. **toe** [to] 名 腳趾；足尖

from head to toe 片語 徹頭徹尾；徹底地

t + oe

例：Can you move your toes?
你能動一動你的腳趾頭嗎？

Unit 5

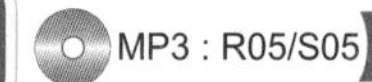

1. **body** [ˋbɑdɪ] 名 (1) 身體；(2) 身材；(3) 屍體

b + o + d + y

例：You must take care of your body.
你要照顧好你自己的身體。

2. **skin** [skɪn] 名 皮膚；外皮

sk + in

例：Her skin is very dark from the sun.
她的皮膚曬得很黑。

3. **hair** [hɛr] 名 頭髮

＊air 名 空氣

h + air

例：I get my hair cut once every two months.
我每兩個月剪一次頭髮。

4. **cut** [kʌt] 動 切；割；減少

動詞變化：cut, cut, cut, cutting

c + u + t

例：Dad is cutting the wood for the tree house.
爸爸正在為蓋樹屋砍木頭。

5. **haircut** [ˋhɛr͵kʌt] 名 理髮

hair + cut

例：The rock star should get a haircut.
那搖滾明星該理個髮了。

剪頭髮－have 人's hair cut

剪頭髮通常我們都是去理髮店請人幫我們剪，所以我們要用表示「使～」的動詞have，I had my hair cut.，就是指「我讓我的頭髮被人剪」，如果你說I cut my hair.那就變成了你自己拿剪刀去剪自己的頭髮，意思是不一樣的哦！

6. **face** [fes] 名 臉 動 面對

動詞變化：face, faced, faced, facing

Facebook (網路軟體)臉書

f + a_e + ce

例：The woman has a face like a baby.
那位婦人有張娃娃臉。

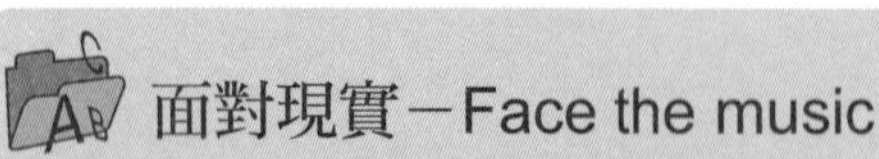

面對現實－Face the music

face the music這個片語最早出現於19世紀。據說以前在戲院欣賞表演的觀眾，若覺得舞台上的表演者表現得不好，就會在台下發出噓聲鼓噪，有些還會隨手拿起東西往台上丟，表演者即使知道自己的表演最後可能會換來觀眾無情的噓聲，但樂聲響起時，還是得硬著頭皮去「面對音樂、面對現實」，face the music 這個片語便由此而來。

7. **eye** [aɪ] 名 眼睛

the apple of 人's eye 片語 某人的最愛

例：Your eyes are dark brown.
你的眼睛是棕黑色的。

eyebrow 眉毛
eyelid 眼皮
eyelash 眼睫毛
eyeball 眼珠

8. ear [ɪr] 名 耳朵

ea + r

例：Having big ears means that you'll have good luck.
有大耳朵表示你會運氣很好。

9. nose [noz] 名 鼻子

n + o_e + s

例：Your nose is bleeding!
你流鼻血了！

to pick 人's nose 片語 挖鼻孔

10. mouth [maʊθ] 名 嘴巴

m + ou + th

例：He put the candy in his mouth.
他把糖果放進他的嘴裡。

11. lip [lɪp] 名 唇

l + i + p

例：He kissed her lips.
他親吻她的唇。

12. tongue [tʌŋ] 名 舌頭

ton + gue

例：Lick the ice cream with your tongue.
用你的舌頭舔冰淇淋。

mother tongue 片語 母語

13. tooth [tuθ] 名 牙齒

too + th

例：You should brush your teeth after meals.
你飯後應該刷牙。

複數變化：teeth
have a sweet tooth
片語 (某人) 愛吃甜食

14. neck [nɛk] 名 脖子

n + e + ck

例：She wears a necklace on her neck.
她脖子上戴一條項鍊。

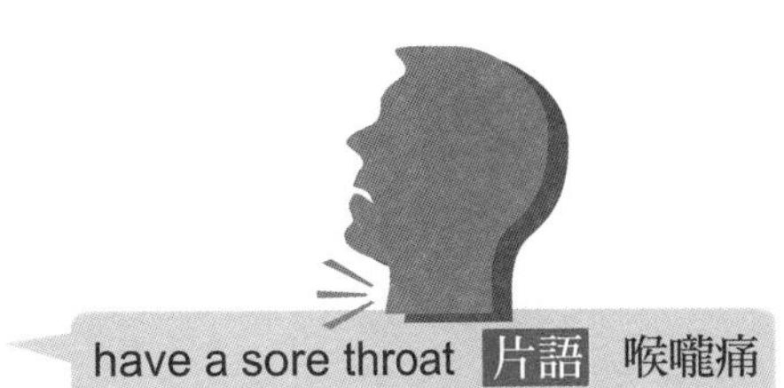

15. throat [θrot] 名 喉嚨

th + roat

例：My throat hurts because I have a cold.
我感冒了所以喉嚨很痛。

have a sore throat 片語 喉嚨痛

人稱與身體部位 數字與顏色 天氣與時間 日常飲食 居家環境 服裝配件 運動與嗜好 植物與動物 英文部首輕鬆學

Unit 6

MP3 : R06/S06

1. **beautiful** [ˋbjutəfəl] 形 美麗的；漂亮的

beauty + -ful

例：The princess thinks she is so beautiful.
那位公主覺得她太美麗了。

＊beauty 名 美女
＊-ful 字尾 形容詞字尾，表「充滿～的」

2. **pretty** [ˋprɪtɪ] 形 漂亮的 副 非常；十分；很

pre + tty

例：I want to give my daughter this pretty doll for her birthday.
我想要給我女兒這個漂亮的洋娃娃做為她的生日禮物。

3. **handsome** [ˋhænsəm] 形 英俊的；帥

hand + some

例：Even if my boyfriend isn't handsome, he must be kind.
即便我的男朋友不帥，但他一定要很仁慈。

＊hand 名 手
＊-some 字尾 形容詞字尾，表示「適於...的」

handsome－好看的手

「英俊」和「手」有什麼關係呢？原來handsome這個字有個形容詞字尾-some，表示「適於...的；易於...的」，最早handsome這個字原本是指「易於用手掌控的、在手邊的、好用的」，一直到16世紀之後才慢慢衍生出「恰當的、大小適中的、好看的」等意思。

4. **short** [ʃɔrt] 形 短的；矮小的；短缺的

sh + or + t

例：She is too short to play basketball.
她太矮所以不能打籃球。

5. **tall** [tɔl] 形 高的

t + all

例：You can't grow tall if you never get enough sleep.
你如果睡眠不足就沒辦法長高。

比一比：

tall 形 高的 → 指人、樹木、建築物等

例：Taipei 101 building is pretty tall.
台北101大樓非常高。

high 形 副 高的 → 指山丘、建築物，也可以指價格

例：The price of the house is very high.
這間房子的價格很高。

6. **slim** [slɪm] 形 苗條的；修長的

sl + im

例：Most people in Taiwan are slim.
大部分在台灣的人都很苗條。

7. **thin** [θɪn] 形 瘦的；薄的

th + in

例：My sister is too thin, and I want her to eat more.
我妹妹太瘦了，我希望她吃多點。

8. thick [θɪk] 形 濃厚的；厚的

th + ick

例：This is a thick steak, so I can't finish it.
這個牛排很厚，所以我吃不完。

老師教你記：
sick 形 生病的
thick 形 濃稠的

9. cute [kjut] 形 可愛的；俊俏的

c + u_e + t

例：Most babies are cute.
大部分的嬰孩都很可愛。

10. fat [fæt] 形 肥胖的 名 油脂

f + a + t

例：You will get fat eating chocolate every day.
如果你每天吃巧克力就會變肥。

11. heavy [ˋhɛvɪ] 形 沈重的；重的

hea + vy

例：The large jar of peanut butter was too heavy to pick up.
大罐的花生醬太重了，沒辦法扛。

heavy rain 片語 大雨

12. young [jʌŋ] 形 年輕的；年幼的

you + ng

例：The sixteen-year-old boy was too young to drink beer.
十六歲的男孩還太年輕，不能喝啤酒。

*you 代 你

13. old [old] 形 老的；舊的

o + ld

例：The old man crosses the street slowly.
那位老先生慢慢地穿過街道。

14. born [bɔrn] 形 出生於；天生的

b + or + n

例：There are not enough babies being born in Taiwan.
在台灣沒有足夠的嬰兒出生。

15. grow [gro] 動 (1) 成長、生長；(2) 種植

gr + ow

例：The farmer grows carrots and cabbages.
該位農夫種植胡蘿蔔和高麗菜。

動詞變化：grow, grew, grown, growing

grow up 片語 長大

Unit 7

MP3 : R07/S07

1. bad [bæd] 形 壞的；不好的；嚴重的

b + a + d

例：The bad dog takes food from the table.
那隻壞狗狗從桌上拿走食物。

比較級變化：bad, worse, worst

go from bad to worse
片語 每況愈下、愈來愈糟

2. sad [sæd] 形 悲傷的；不幸的

s + a + d

例：Why do you look so sad today?
為何你今天看起來如此悲傷？

3. mad [mæd] 形 發瘋的

m + a + d

例：It makes me mad when I have to wait a long time.
要我等很久會令我抓狂。

4. good [gʊd] 形 好的

g + oo + d

例：A good teacher tries to help his students.
一位好老師試著幫他的學生。

比較級變化：good, better, best

5. cool [kul] 形 (1)涼爽的 (2)酷炫的

c + oo + l

例：Movies with magic are so cool.
魔法電影非常酷炫。

6. angry [ˋæŋgrɪ] 形 生氣的

an + gry

例：I got angry when my sister took my pencil case.
我妹妹拿走我的鉛筆盒時我很生氣。

Angry Bird 憤怒鳥(手機遊戲名稱)

7. crazy [ˋkrezɪ] 形 瘋狂的

cr + azy

例：I think people who watch scary movies are crazy.
我覺得會去看恐怖電影的人很瘋狂。

be crazy for +名詞 片語 為～瘋狂

8. lazy [ˋlezɪ] 形 懶惰的

l + azy

例：The three lazy students didn't do their homework.
這三個懶惰學生沒做他們的功課。

lazy bone 片語 懶骨頭；懶惰的人

9. fun [fʌn] 名 樂趣 (不可數名詞) 形 好玩的

f + u + n

例：It's always fun to play baseball.
打棒球很好玩。

Have fun! 玩得開心！

10. funny [ˋfʌnɪ] 形 好笑的；奇怪的；搞笑的

fun + ny

例：The funny clown fell into the cake.
那個搞笑的小丑掉到蛋糕裡。

* fun 名 趣味
* -y 字尾 形容詞字尾，表「多～的」

11. happy [ˋhæpɪ] 形 快樂的；高興的

h + a + pp + y

例：The boy is happy when he plays outside.
那男孩在外頭玩時很快樂。

12. unhappy [ʌnˋhæpɪ] 形 不快樂的；不高興的

un- + happy

例：If you are so unhappy, you should get a new job.
如果你這麼不開心，你應該找一個新工作。

* happy 形 快樂的
* un- 字首 表示「不」或否定的字首

13. nervous [ˋnɝvəs] 形 神經質的；緊張不安的

nerve + -ous

例：I'm so nervous because I have to take a test tomorrow.
我很焦慮，因為我明天要考試了。

* nerve 名 神經
* -ous 字尾 形容詞字尾，表示「充滿～的」

14. curious [ˋkjʊrɪəs] 形 好奇的

curio + -ous

例：If you're curious, you should find out the truth.
如果你很好奇，你應該要找出真相。

* curio 名 珍稀古玩

15. humorous [ˋhjumərəs] 形 幽默的

humor + -ous

例：The humorous boy makes the whole class laugh.
那個幽默的男孩讓全班大笑。

* humor 名 幽默

Unit 8

MP3 : R08/S08

1. clever [ˋklɛvɚ] 形 聰明伶俐的

   cl + ever

   例：If you are clever, you can find the answer to the question.
   如果你很機伶，你就可以找到問題的答案。

   ＊ever 副 曾經

2. smart [smɑrt] 形 (1)聰明的；(2)穿著時髦的

   sm + art

   例：Even if you are smart, you must work hard.
   即便你很聰明，你還是得努力工作。

   ＊art 名 藝術

3. wise [waɪz] 形 聰明的；有智慧的、明智的

   w + i_e + s

   例：A wise man never spends all his money.
   有智慧的人絕不會花光他所有的錢。

   老師教你記：why 副 為什麼

4. shy [ʃaɪ] 形 害羞的

   sh + y

   例：I'm too shy to talk to a TV star.
   我太害羞了，沒辦法和電視明星講話。

5. brave [brev] 形 勇敢的

   bra + ve

   例：Cindy was brave enough to tell the bad boy to go away.
   辛蒂很勇敢，她叫那個惡少滾開。

   老師教你記：
   bra 名 女性內衣、胸罩
   have 動 有

6. friend [frɛnd] 名 朋友

   fri + end

   例：They are good friends.
   他們是好朋友。

   Friday 星期五

   老師教你記：
   Fri. = Friday 名 星期五
   end 名 結束

7. friendly [ˋfrɛndlɪ] 形 友善的；親切的

   friend + -ly

   例：Kate is so friendly that everyone knows her.
   凱特很親切，每個人都認識她。

   ＊friend 名 朋友
   ＊-ly 字尾 形容詞字尾

8. love [lʌv] 動 喜愛 名 所愛的人事物

   lo + ve

   例：I loved reading comic books when I was young.
   我年輕的時候很喜歡看漫畫。

   動詞變化：love, loved, loved, loving

9. lovely [ˋlʌvlɪ] 形 可愛的

love + -ly

例：The lovely flowers made her feel special.
那可愛的花朵讓她覺得很特別。

＊ love 動 愛
＊ -ly 字尾 形容詞字尾

10. lonely [ˋlonlɪ] 形 寂寞的；孤獨的

l + o_e + n + ly

例：The lonely boy wants to make new friends.
那個寂寞男孩想要交新朋友。

老師教你記：lonely = l + one + ly

11. stupid [ˋstjupɪd] 形 愚笨的

stu + pid

例：Brad is a stupid child because he never studies.
布萊德是個笨小孩，因為他從不讀書。

12. nice [naɪs] 形 好的；善良的

n + ice

例：Our English teacher is so nice.
我們的英文老師人都很好。

＊ ice 名 冰
老師教你記：夏天吃ice真nice

13. kind [kaɪnd] 名 種類 形 仁慈的

k + in + d

例：Ruby is so kind that she helps many people.
露比很好心，她幫助了很多人。

例：You bought the wrong kind of fruit!
你買錯水果了！

14. honest [ˋɑnɪst] 形 誠實的；正直的

h + on + est [注意]：h不發音

例：Be honest and tell me the reason you are late.
誠實地告訴我你遲到的原因。

比一比：honey [ˋhʌnɪ] 名 (1)蜂蜜 (2)甜心
honest [ˋɑnɪst] 形 誠實的

15. proud [praʊd] 形 自豪的；驕傲的

pr + oud

例：I am so proud of my daughter for getting a high test score.
我對我女兒得到高分感到驕傲。

＊ loud 形 大聲的
老師教你記：
很自豪、很驕傲，所以可以很大聲。

Unit 9

MP3 : R09/S09

1. smile [smaɪl] 動 名 微笑

s + mile

例：The young girl always smiles beautifully.
那年輕女孩微笑總是很甜美。

動詞變化：smile, smiled, smiled, smiling

* mile 名 英哩

2. laugh [læf] 動 笑出聲來 名 笑聲

l + au + gh [注意]：gh不發音

例：Everyone laughed when the man fell in the mud.
當那男人跌進泥巴堆裡，每個人都哈哈大笑。

動詞變化：laugh, laughed, laughed, laughing
to laugh 人's head off 片語 用力大笑

3. cry [kraɪ] 動 名 哭；叫喊

cr + y

例：Brian cried when his dog died.
布萊恩的狗死的時候，他哭了。

動詞變化：cry, cried, cried, crying

a cry-baby 口語 愛哭鬼

to cry wolf 片語 放假消息、放羊的孩子

4. yell [jɛl] 動 名 叫喊、大喊大叫

ye + ll

例：Mrs. Williams was so angry that she yelled at the class.
威廉太太很生氣所以她對著全班大吼。

動詞變化：yell, yelled, yelled, yelling

5. fight [faɪt] 動 名 打仗；爭吵；打架

f + (r)ight

例：Let's not fight about who gets the last piece of cake.
我們不要為了誰得到最後一片蛋糕而吵架吧。

動詞變化：fight, fought, fought, fighting

老師教你記：right 形 正確的
雙方都說自己是right(對的)，結果就fight(打架、爭吵)。

6. kiss [kɪs] 動 親吻 名 吻

k + i + ss

例：She kissed a boy for the first time when she was seventeen.
她十七歲時第一次和男孩子接吻。

動詞變化：kiss, kissed, kissed, kissing

7. clap [klæp] 動 鼓掌；拍手

cl + ap

例：The children are clapping to the song.
孩子跟著這首歌拍手。

動詞變化：clap, clapped, clapped, clapping

8. call [kɔl] 動 打電話；叫喊

c + all

例：I called my mom to wish her a happy Mother's Day.
我打電話給我媽祝她母親節快樂。

動詞變化：call, called, called, calling

9. loud [laud] 形 大聲的；喧嘩的
l + oud
例： Mike plays his rock music so loud that his neighbors complain.
麥克搖滾樂放太大聲所以他的鄰居抗議了。

10. shout [ʃaut] 動 喊叫
sh + out
例： The mother shouted at her child to tidy up his room.
那媽媽對著她的孩子喊要他把房間收拾好。

動詞變化：shout, shouted, shouted, shouting

老師教你記：out 副 向外
shout就是向外(out)大聲喊叫

11. voice [vɔɪs] 名 (尤指人的)聲音
v + oi + ce
例： Ruby has a sweet voice.
露比的聲音很甜美。

to raise 人's voice 片語 提高說話音量

12. noise [nɔɪz] 名 噪音；喧鬧聲
n + oi + se
例： The puppy makes strange noises when he wants to eat.
那小狗想吃東西時會發出奇怪的吵鬧聲。

13. noisy [ˋnɔɪzɪ] 形 喧鬧的；吵鬧的
noise + -y
例： The train station next to my house is very noisy.
我家隔壁的火車站非常吵鬧。

* noise 名 噪音
* -y 字尾 形容詞字尾，表「多...的」

14. dirty [ˋdɝtɪ] 形 骯髒的
dirt + -y
例： After playing football in the rain, my shoes were dirty.
在雨中打完足球，我的鞋子都髒了。

* dirt 名 灰塵

15. tidy [ˋtaɪdɪ] 形 整齊的；整潔的 動 使整齊；整頓
t + I + d + y
例： Clean your bedroom until it is very tidy.
把你的房間收拾到完全乾淨為止。

動詞變化：tidy, tidied, tidied, tidying

Unit 10

MP3 : R10/S10

1. **color** [ˋkʌlɚ] 名 顏色 動 著色
co + l + or
例：Which color is your favorite?
你最喜歡的顏色是什麼色？

with flying color
片語 高分過關；取得勝利
例：I passed the test with flying color.
我考試高分通過。

2. **black** [blæk] 名 黑色 形 黑色的
bl + ack
例：I like to drink black coffee.
我喜歡喝黑咖啡。

3. **blue** [blu] 名 藍色 形 藍色的；憂鬱的
bl + ue
例：I feel so blue today
我今天覺得很憂鬱。

4. **brown** [braun] 名 棕色 形 棕色的
br + ow + n
例：The brown dog was living on the street.
那隻棕色的狗曾經住在這條街上。

害群之馬、老鼠屎－A black sheep

中文稱壞事的人叫做「老鼠屎、害群之馬」，但英文的害群之馬跟mouse或horse一點關係也沒有。英文的老鼠屎、害群之馬叫做 black sheep。sheep是綿羊，以前游牧民族靠綿羊吃飯，羊奶可做食品、羊肉可以吃、羊毛是做衣服的上等材料，白色的羊毛經過染色加工後可以變成色彩豔麗的各式羊毛織品。雖然羊毛「應該要是」白色的，但基因突變總是不可避免，所以偶爾也會有兩白生一黑、生出黑綿羊 black sheep 的狀況，黑羊的羊毛因為無法染色加工，所以根本沒法賣出去，因此就被視為沒有價值、無用之物，還會拖垮整個農場所賣的羊毛價格，後來就有了指團體中最沒有用、拖垮團體的害群之馬的意思。

「拍馬屁」怎麼說？

拍馬屁英文有個動詞叫做brown-nose。brown是棕色，nose是鼻子，brown-nose就是棕色的鼻子，拍人馬屁的人整天捧著人的屁屁，鼻子上當然就沾有別人的…，所以brown-nose就用來形容人拍馬屁、屈意奉承的舉動。

5. **golden** [ˋgoldn̩] 形 金黃色的
gold + en
例：He eats at the Golden Delight restaurant.
他在「金歡喜」餐廳吃飯。

＊gold 名 黃金；金

the Golden Gate Bridge (舊金山)金門大橋

6. **gray** [gre] 名 灰色 形 灰色的
gr + ay
例：The gray clouds make me feel sad.
烏雲讓我感到難過。

7. **green** [grin] 名 綠色 形 綠色的
gr + ee + n
例：He has a bright green snake at his house.
他在家裡養了一隻亮綠色的蛇。

人 have green fingers
片語 某人有綠手指、某人是園藝高手

8. **orange** [ˋɔrɪndʒ] 名 柳橙；橘色 形 橘色的

or + an + ge

例：I wear orange clothes when I run outside at night.
我晚上在外面跑步時都穿橘色的衣服。

＊ink 名 墨水

9. **pink** [pɪŋk] 名 粉紅色 形 粉紅色的

p + ink

例：The baby girl's parents always dress her in pink clothes.
那小女嬰的父母總是幫她穿粉紅色系的服裝。

Pink Panther (卡通名稱)粉紅豹、頑皮豹

pinkie 名 小指頭

10. **purple** [ˋpɝpl̩] 名 紫色 形 紫色的

p + ur + ple

例：Purple is my mom's favorite color.
紫色是我媽最愛的顏色。

to marry into the purple 片語 嫁入皇室

11. **red** [rɛd] 名 紅色 形 紅色的

r + e + d

例：Put the lucky money in a red envelope.
把壓歲錢放到紅包袋裡。

12. **white** [hwaɪt] 名 白色 形 白色的

wh + i_e + t

例：Her white clothes got dirty quickly.
她的白色衣服很快就變髒了。

the White House 美國白宮

13. **yellow** [ˋjɛlo] 名 黃色 形 黃色的

ye + llow

例：The yellow sun hurts my eyes.
黃色的太陽讓我的眼睛刺痛。

14. **dark** [dɑrk] 形 黑暗的；深色的；暗的

d + ar + k

例：Emily looks better when she wears dark colors.
艾蜜莉穿深色的看起來比較美。

比一比：
a dark horse 片語 (比賽或競選的)黑馬
a black horse 片語 黑色的馬匹

15. **bright** [braɪt] 形 明亮的；鮮豔的；聰明的

b + right

例：You should use a bright light when you study.
你讀書時應要使用明亮的燈光。

＊right 形 正確的

Unit 11

MP3 : R11/S11

1. **number** [ˋnʌmbɚ] 名 數字；數目；號碼

num + ber

例：The number thirteen is unlucky in America.
在美國，數字13代表不幸。

2. **zero** [ˋzɪro] 名 零

ze + ro

例：There are zero vegetables in the refrigerator!
冰箱裡沒有半點青菜了！

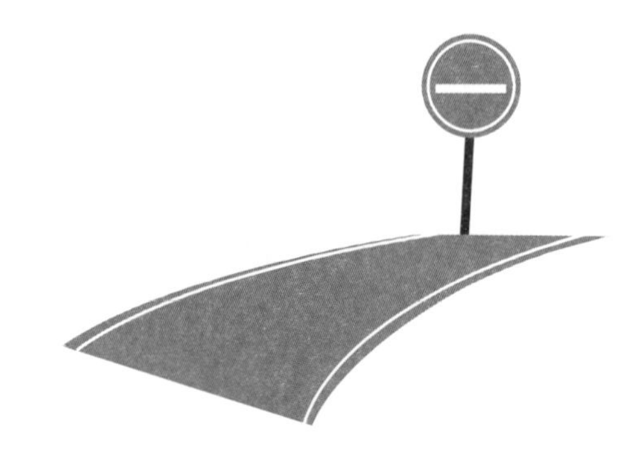

one way 片語 單行道

3. **one** [wʌn] 名 一 形 一個

例：I only have one TV.
我只有一台電視。

4. **two** [tu] 名 二 形 兩個

例：I wanted two coffees! Not one!
我要兩份咖啡！不是一份！

5. **three** [θri] 名 三 形 三個

th + ree

例：〝The Three Little Pigs〞 is a popular story.
「三隻小豬」是個很通俗的故事。

6. **four** [for] 名 四 形 四個

f + ou + r

例：Four students got into trouble for fighting.
有四個學生因打架捲入麻煩。

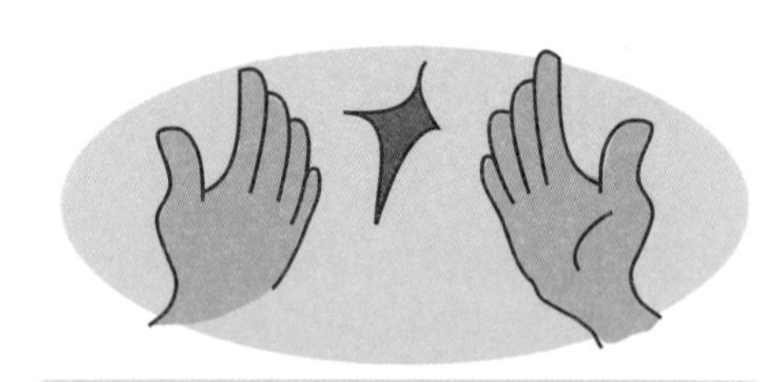

Give me five! = High five! 擊掌！歡呼

7. **five** [faɪv] 名 五 形 五個

f + i_e + v

例：There are five people on this basketball team.
這個籃球隊有五個人。

8. **six** [sɪks] 名 六 形 六個

例：Six ducks were fighting over the bread.
六隻鴨子為了麵包打架。

9. **seven** [ˋsɛvn̩] 名 七 形 七個

s + even

例：There were seven spiders, but one died, so now there are six.
原本有七隻蜘蛛，但有一隻死了，所以現在只有六隻。

10. **eight** [et] 名 八 形 八個

ei + ght [注意]：gh不發音

例：There are eight wonders of the world.
世界有八大奇景。

11. **nine** [naɪn] 名 九 形 九個

n + i_e + n

例：They say that a cat has nine lives.
有人說貓有九條命。

3秒背起來

nine是九，長得很像的字還有：fine(好的)，wine(酒)，mine(我的東西)，這幾個字可以一起背哦！
＊九瓶好酒都是我的：nine → fine → wine → mine

12. **ten** [tɛn] 名 十 形 十個

t + e + n

例：Sometimes I can't leave work until ten.
有時我要一直工作到十點才能離開。

老師教你記：Ben Ten (卡通名稱) 田小班

13. **eleven** [ɪˋlɛvn̩] 名 十一 形 十一個

el + even

例：She must come home before eleven o'clock.
她必須要在十一點前回家。

老師教你記：
7-11 = seven-eleven
7-11裡面都有even

14. **twelve** [twɛlv] 名 十二 形 十二個

twe + lve

例：There are twelve months in a year.
一年有十二個月。

15. **dozen** [ˋdʌzn̩] 名 一打 形 十二個

do + zen

例：There are about a dozen students in each class at this university.
這所大學裡每個班大約有十二個學生。

Unit 12

MP3：R12/S12

1. thirteen [ˋθɝtin] 名 十三 形 十三個

thir + teen

例：He can eat thirteen hamburgers.
他能吃下十三個漢堡。

teen是什麼？

teen 名 十幾
形 十幾歲的；青少年的

teen + age = teenage 形 十幾歲的；青少年時期的

teenage + -er = teenager 名 青少年

2. fourteen [ˋforˋtin] 名 十四 形 十四個

four + teen

例：There are still fourteen people in line.
仍有14個人在排隊。

＊four 名 形 四

3. fifteen [ˋfɪfˋtin] 名 十五 形 十五個

fif + teen

例：Each dish at that restaurant costs fifteen American dollars.
那間餐廳的每一道菜都要十五塊美金。

＊five 名 形 五

4. sixteen [ˋsɪksˋtin] 名 十六 形 十六個

six + teen

例：I wear the number sixteen on my volleyball team.
我在排球隊背號16號。

＊six 名 形 六

5. seventeen [ˌsɛvənˋtin] 名 十七 形 十七個

seven + teen

例：Seventeen people died in the terrible fire.
這場火災有17個人喪生。

＊seven 名 形 七

6. eighteen [ˋeˋtin] 名 十八 形 十八個

eight + teen

例：One family in the USA has eighteen children.
在美國有一個家庭有18個孩子。

＊eight 名 形 八

7. nineteen [ˋnaɪnˋtin] 名 十九 形 十九個

nine + teen

例：The basketball player scored nineteen points in the game.
該名籃球選手在比賽中得到19分。

＊nine 名 形 九

8. twenty [ˋtwɛntɪ] 名 二十 形 二十個

twe + nty

例：There are twenty girls in this chorus.
這個合唱團裡有20位女生。

9. thirty [ˋθɝtɪ] 名 三十 形 三十個

thir + ty

例：The speed limit is thirty kilometers an hour.
這裡的速限是每小時30公里。

10. forty [ˋfɔrtɪ] 名 四十 形 四十個

for + ty

例：I want to buy forty cans of soda.
我要買40罐蘇打汽水。

11. fifty [ˋfɪftɪ] 名 五十 形 五十個

fif + ty

例：We must get fifty paper plates for the party.
這場派對我們需要五十個紙盤子。

12. sixty [ˋsɪkstɪ] 名 六十 形 六十個

six + ty

例：Some people stop working when they are sixty.
有些人到了60歲就停止工作了。

13. seventy [ˋsɛvn̩tɪ] 名 七十 形 七十個

seven + ty

例：I spend seventy dollars on a lunchbox every day.
我每天花70塊買便當。

14. eighty [ˋetɪ] 名 八十 形 八十個

eight + y

例：My father was born in nineteen eighty.
我爸爸是1980年出生的。

15. ninety [ˋnaɪntɪ] 名 九十 形 九十個

nine + ty

例：He is so rich that he has ninety different cars!
他太有錢了，所以有九十輛不同的車子。

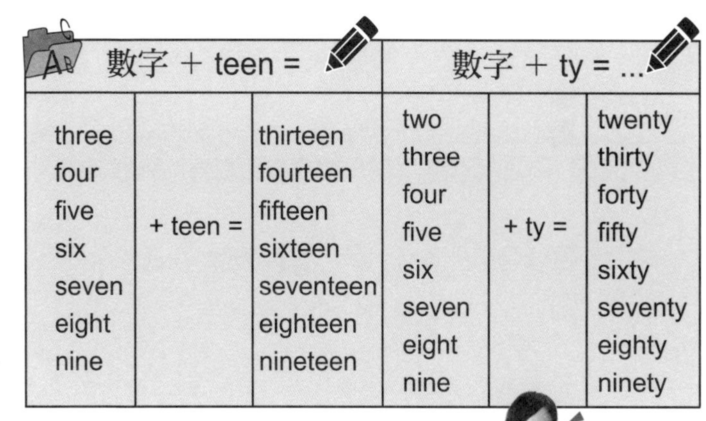

數字 + teen =

three	+ teen =	thirteen
four		fourteen
five		fifteen
six		sixteen
seven		seventeen
eight		eighteen
nine		nineteen

數字 + ty = ...

two	+ ty =	twenty
three		thirty
four		forty
five		fifty
six		sixty
seven		seventy
eight		eighty
nine		ninety

老師提醒你：
40拼字是forty，不是four + ty哦！

＊five 名 形 五

＊six 名 形 六

＊seven 名 形 七

＊eight 名 形 八

＊nine 名 形 九

Unit 13

1. few [fju] 形 很少的；幾乎沒有的

f + ew

例：There are too few chickens, so we can't get enough eggs.
雞太少了，所以我們無法取得足夠的雞蛋。

2. a few [ə] [fju] 片 幾個；一些

例：Please give me a few dollars.
請給我一些錢。

3. little [ˋlɪtl̩] 形 小的；少的；幾乎沒有的

little by little 片語 慢慢地、漸漸地

li + tt + le

例：With such little hands, the children can't throw such a big ball.
因為手太小，小孩子沒辦法丟那麼大一顆球。

4. a little [ə] [ˋlɪtl̩] 片 一點；一些

例：They only have a little money, so they can't buy the house.
他們只有一點點錢，所以他們沒辦法買那間房子。

比一比：

1. few要指可以數的「可數名詞」
   (1) few：指「幾乎沒有」 例：I have few friends. (我幾乎沒什麼朋友。)
   (2) a few：指「有一些」 例：I have a few friends. (我有幾個朋友。)
2. little接不可以數的「不可數名詞」
   (1) little：指「幾乎沒有」 例：I have little money. (我沒什麼錢。)
   (2) a little：指「一點點」 例：I have a little money. (我有一點點錢。)

5. a lot [ə] [lɑt] 片 很多

parking lot 停車位

例：There are a lot of people at this MRT station.
這個捷運車站有很多人。

6. all [ɔl] 形 全部的

例：All the money is gone!
所有的錢都沒了！

all + 身體部位名稱

all表示「全部的」，在英文裡，後方若加上一個身體的部位，就會變成很有趣的形容詞片語哦！

all + (eyes) = all eyes → 睜大眼睛看、專注仔細地看

all + (ear) = all ears → 全神貫注地聽、洗耳恭聽

all + (thumb) = all thumbs → 笨拙的、笨手笨腳的

7. any [ˋɛnɪ] 形 任何的

an + y

例：Do you have any interesting books?

你有什麼有趣的書嗎?

8. each [itʃ] 形 每一 代 各個；各人

ea + ch

例：Each of the houses has a red sign on the door.

每一間房子的門上都有一個紅色的標記。

9. both [boθ] 副 形 代 兩者；兩者都

例：Both of the children have a computer.

這兩個孩子都有一台電腦。

10. several [ˋsɛvərəl] 形 幾個的

se + ve + ral

例：She has several pairs of red shoes.

她有幾雙紅鞋。

11. some [sʌm] 代 一些 形 某些；若干

例：You should have some cakes before you leave.

你在離開前應該吃點蛋糕。

12. less [lɛs] 形 較少的，較小的

l + e + ss

例：I have less juice than my classmate.

我的果汁比我同學的少。

13. many [ˋmɛnɪ] 形 很多的 (形容可數名詞)

m + any

例：There are many birds at this beach.

這海灘上有很多鳥。

more or less 片語 多多少少

14. more [mor] 形 副 更多的 代 更多的數量

m + o_e + r

例：How many more pies do we need to buy?

我們還需要再買多少派？

15. much [mʌtʃ] 形 多的；多 (形容不可數名詞)

m + u + ch

例：How much oil do you want to put in the food?

你要在食物裡加多少油？

Unit 14

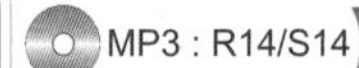

1. **air** [ɛr] 名 空氣；天空 動 (將衣物)晾乾

例：The air in this city is too dirty to breathe.
城市裡的空氣太髒了，不能呼吸。

2. **sky** [skaɪ] 名 天空

例：Fireworks filled the sky with bright light.
煙火照亮整個天空。

Skype 網路通訊軟體品牌名

3. **star** [stɑr] 名 (1) 星星；(2) 明星

st + ar

例：The stars twinkle every night.
星星每晚在天上閃爍。

a movie star 片語 電影明星

see stars 片語 眼冒金星

4. **moon** [mun] 名 月亮

m + oo + n

例：The moon is so bright tonight!
今晚月亮真亮！

moon cake 名 月餅

5. **sun** [sʌn] 名 太陽；陽光

s + u + n

例：The sun will set at seven o'clock this evening.
今天傍晚太陽會在七點下山。

比一比：son [sʌn] 名 兒子
sun [sʌn] 名 太陽

6. **sunny** [ˋsʌnɪ] 形 晴朗的；有陽光的

例：When it's sunny, it's better to wear a hat.
太陽太大時，最好戴頂帽子。

* sun 名 太陽
* -y 字尾 形容詞字尾，表「多...的」

7. **cloud** [klaʊd] 名 雲

c + loud

例：That cloud looks just like a marshmallow.
那雲看起來好像棉花糖。

8. **cloudy** [ˋklaʊdɪ] 形 多雲的；像雲的

cloud + y

例：It's so cloudy that I can't see Taipei 101.
雲太多了，所以我看不到台北101大樓。

* cloud 名 雲
* -y 字尾 形容詞字尾，表「多...的」

9. **rain** [ren] 名 雨水 動 下雨

r + ai + n

例：It rained so fast that there was water everywhere.
雨下得很急，所以到處都是水。

動詞變化：rain, rained, rained, raining

to take a rain check
片語 延期票；下次再說

10. rainy [ˋrenɪ] 形 多雨的

rain + -y

例：What do you do on rainy days?
雨天時你都做些什麼？

* rain 名 雨水
* -y 字尾 形容詞字尾，表「多...的」

11. rainbow [ˋren͵bo] 名 彩虹

rain + bow

例：After a big storm, sometimes you can see a rainbow in the sky.
暴風雨過後，有時你可以在天空看到一道彩虹。

* rain 名 雨水 動 下雨
* bow 名 (1)弓 (2)蝴蝶結

12. snow [sno] 名 雪 動 下雪

sn + ow

例：If it snows six inches or more, we won't have school the next day.
如果雪下超過六吋，第二天我們就不用上學了。

動詞變化：snow, snowed, snowed, snowing

13. snowy [ˋsnoɪ] 形 多雪的

snow + -y

例：It is often snowy in December in Canada.
加拿大十二月時通常都是大雪紛飛。

* snow 名 雪
* -y 字尾 形容詞字尾，表「多...的」

14. wind [wɪnd] 名 風

w + in + d

例：The strong wind blew the hat off my head.
強風把我的帽子給吹掉了。

blow wind 片語 放屁

15. windy [ˋwɪndɪ] 形 風大的

wind + -y

例：It's hard to play badminton when it's windy outside.
外頭風大時沒辦法打羽毛球。

* wind 名 風
* -y 字尾 形容詞字尾，表「多...的」

形容詞字尾 -y

中文字有部首，英文字也有部首，加在前面叫「字首」或「前綴詞」，加在後面的叫「字尾」或「後綴詞」，這裡我們要介紹形容詞字尾-y，這個字尾通常加在名詞之後，表示「多～(名詞)的」，所以這個單元裡的天氣形容詞，就是在名詞後面加上了字尾 -y 所形成，像是：

sun + -y = sunny (晴朗的)
cloud + -y = cloudy (多雲的)

除了天氣之外，也有許多名詞後面加了-y就變成表示「多～的」的形容詞，如：

noise (噪音) + -y = noisy (吵鬧的)
anger(憤怒) + -y = angry (生氣的)

Unit 15

MP3：R15/S15

1. weather [ˋwɛðɚ] 名 天氣

wea + ther

例：Every spring the weather is terrible in this city.
每回春天，城裡的天氣都很糟。

a fair-weather friend
酒肉朋友；不能共患難的朋友

2. clear [klɪr] 形 (事物)清晰的；(天氣)晴朗的 動 清除掉…

cl + ear

例：When the sky is clear, you can see all the stars.
天空晴朗時，你可以看到所有的星星。

動詞變化：clear, cleared, cleared, clearing

* ear 名 耳朵

3. clean [klin] 形 乾淨的 動 清理

cl + ea + n

例：The inside of my car is never clean.
我的車子裡從來沒有乾淨過。

動詞變化：clean, cleaned, cleaned, cleaning

4. freeze [ˋfriz] 動 冷凍；結凍

free + ze

例：When the lake freezes, children love to play on it.
當湖結冰時，孩子們喜歡在上面玩。

動詞變化：freeze, froze, frozen, freezing

* free 形 自由；有空

5. freezing [ˋfrizɪŋ] 形 極冷的

freeze + ing

例：It's freezing outside! You need to wear a big, heavy coat.
外面超級冷！你得穿件又大又厚的外套才行。

* freeze 動 冷凍

6. warm [wɔrm] 形 溫暖的 動 暖起來

w + arm

例：On that snowy day, I felt better after I got into my warm house.
在下雪天時，進到溫暖的屋子裡讓我覺得舒服多了。

動詞變化：warm, warmed, warmed, warming

to warm up 片語 暖身

7. wet [wɛt] 形 溼的

w + e + t

例：When it's really wet outside, you should wear boots, not shoes.
當外頭很溼的時候，你應該要穿靴子而不是鞋子。

a wet-blanket 口語 掃興鬼

8. humid [ˋhjumɪd] 形 潮溼的

hu + mid

例：The air is so humid that I can't breathe well.
空氣太潮溼了，我沒法好好呼吸。

9. **blow** [blo] 動 (1) 吹；(2) 爆掉

動詞變化：blow, blew, blown, blowing

b + low

＊low 形 低的

例：The clown blew up balloons all day.
那小丑一天到晚都在把氣球吹爆掉。

10. **thunder** [ˋθʌndɚ] 名 雷聲 動 打雷

＊under 介 在下方

th + under

例：During a storm, there is a lot of loud thunder.
暴風雨時雷聲很大。

被偷走的雷聲－steal someone's thunder

英文裡有個片語叫做 steal人's thunder，意思是指「搶走別人的靈感、風采或創意」，為什麼打雷thunder和搶別人的鋒頭有關呢？
原來在17世紀時，有一位劇作家叫約翰丹尼斯(John Dennis)，他為自己的戲劇設計了一種裝置，這個裝置用一片錫片就可以在演戲時發出如打雷般的聲音。
沒想到才用沒幾天，另一齣也在上演的戲劇「馬克白(Macbeth)」，就被發現有人用了相同的東西來製造雷聲。約翰非常生氣，他說：「They steal my thunder(他們偷了我的雷聲)!」從此，這個片語也就用來指「偷走別人創意、搶人風采」的意思。

11. **lightning** [ˋlaɪtnɪŋ] 名 閃電

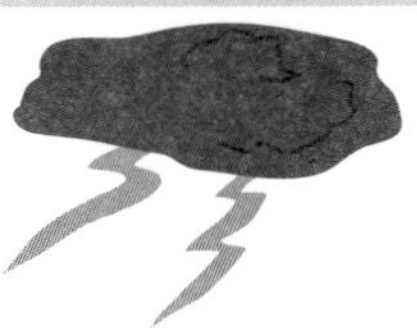

＊light 名 燈光

l + ight + n + ing [注意]：gh不發音

例：The baseball game is cancelled because of lightning.
棒球賽取消了，因為有閃電。

12. **shower** [ˋʃauɚ] 名 (1) 陣雨；(2) 淋浴

動詞變化：shower, showered, showered, showering

sh + ow + er

例：Bring your umbrella, because there will be showers all week.
帶著你的傘，因為一整個禮拜都會有陣雨。

13. **typhoon** [taɪˋfun] 名 颱風

中文「颱風」

ty + ph + oo + n

例：June till November is Typhoon season in Taiwan.
台灣六到十一月都是颱風季。

14. **nature** [ˋnetʃɚ] 名 自然；天性

the call of nature 片語 內急；要上廁所
要上廁所：Nature is calling.
去上廁所：to answer the call of nature

na + ture

例：I love to enjoy nature and go hiking sometimes.
有時我喜歡親近自然還有登山。

15. **natural** [ˋnætʃərəl] 形 自然的；天生的 名 天生好手

＊nature 名 自然
＊-al 字尾 形容詞字尾

nature + -al

例：People don't eat enough natural foods these days.
近來人們都沒吃夠多的天然食物。

Unit 16

MP3 : R16/S16

1. **season** [ˋsizn̩] 名 季節

sea + son

例：In Canada, there is a big difference between all the four seasons.
加拿大的四季有很大的不同。

＊sea 名 海洋
＊son 名 兒子

2. **spring** [sprɪŋ] 名 泉水；春天

sp + ring

例：In the spring, it rains a lot, but it's not too hot.
春天時，雨下很多，但不會太熱。

hot spring 名 溫泉

3. **summer** [ˋsʌmɚ] 名 夏天

sum + mer

例：The summer is the best time to take a vacation.
夏天是最適合度假的時節。

summer camp 名 夏令營
summer vacation 名 暑假

4. **autumn** [ˋɔtəm] 名 秋天

au + tu + mn

例：The leaves fall from the trees in autumn.
秋天時葉子會從樹上掉落。

Mid-Autumn Festival 中秋節

5. **fall** [fɔl] 名 (1) 秋天；(2) 瀑布 動 掉落

f + all

例：I fell down on the ice.
我在冰上摔了一跤。

動詞變化：fall, fell, fallen, falling

＊all 形 全部的；所有的

6. **winter** [ˋwɪntɚ] 名 冬天

win + ter

例：It's beautiful to see the snow in the winter.
冬天賞雪很美。

win 動 贏

7. **birthday** [ˋbɝθ͵de] 名 生日

birth + day

例：I gave my daughter a cute bunny for her birthday.
我給了我女兒一隻可愛的兔子當作她的生日禮物。

＊birth 名 誕生
＊day 名 天，日子

in 人's birthday suit 口語 裸體
suit是「一套衣服」，在出生那天穿的衣服，當然就是光溜溜的裸體囉！

8. **holiday** [ˋhɑlə͵de] 名 假日；假期

holi + day

例：Friday is a holiday, so the banks will be closed.
週五是假日，所以銀行會關門。

＊holy 形 神聖的
以前的人們只有在紀念聖人或特定的宗教節日才會放假，演變至今就是指所有不用工作上學的日子就叫做holiday。

9. vacation [veˋkeʃən] 名 休假；假期

vac + ation

例：I went to Paris, France with my family on our vacation.
我和我的家人休假時去了一趟法國巴黎。

＊-vac- 字根 表「空的」
＊-ation 字尾 名詞字尾
老師教你記：放假的時候大家的屋子都空了，因為大家都去度假了。

10. celebrate [ˋsɛlə͵bret] 動 慶祝

ce + le + br + ate

例：Does your family celebrate Christmas?
你家人會慶祝聖誕節嗎？

動詞變化：celebrate, celebrated, celebrated, celebrating

＊-ate 字尾 動詞字尾

11. festival [ˋfɛstəvḷ] 名 節日；慶祝(和文化習俗有關的假日)

fes + ti + val

例：The Dragon Boat Festival is a very special holiday in Taiwan.
台灣的端午節是一個很特別的假日。

老師教你記：
feast 名 宴席
east 名 形 東方(的)
東方人過節或辦宗教活動都會擺流水席，所以很多東方人過的節日都是festival。

12. eve [iv] 名 (特殊日子的)前夕

e_e + v

例：On the eve before my wedding, I was very nervous.
在我婚禮的前一天，我非常緊張不安。

13. Christmas [ˋkrɪsməs] 名 聖誕節

Christ + mas

例：Children get many toys for Christmas.
孩子們在聖誕節得到很多玩具。

＊Christ 名 基督
＊-mas 指 「聖餐禮」

14. Easter [ˋistɚ] 名 復活節

east + er

例：At Easter, my children try to find eggs that I have hidden.
復活節時，我的孩子們試著要找出我藏的蛋。

＊east 名 形 東方(的)

Easter egg 名 復活節彩蛋

15. Halloween [͵hælo`in] 名 萬聖夜；萬聖節

hallow + een

例：Why do children get so much candy for Halloween?
為什麼小朋友在萬聖節可以得到這麼多糖果？

＊hallow 動 使神聖；崇拜

Halloween 萬聖節的由來

小朋友最愛的Halloween是怎麼來的呢？
原來 Halloween 是指 All-hallows' Eve，也就是
Eve of all Saints，「所有聖人日的前一天，」這個節日是怎麼來的呢？
據說在西元七世紀時，基督教的影響力逐漸擴展到不列顛群島上的克爾特人(Celt)居住地，當地教會指定11月1日為萬聖日 (All Saints' Day)來敬仰聖人與殉道者，這個慶典也稱為「All-hallow」或「All-hallowmas」，而萬聖日的前一晚10月31日則稱為萬聖夜(All-hallows' Eve)，後來簡寫成Hallow e'en，最後也就演變成我們今天所說的 Halloween了。

Unit 17

MP3 : R17/S17

1. a.m. [ˋeˋɛm] 形 副 午前

＊a.m. = ante meridiem (before noon)

例：At 3:00 a.m., my son woke me up because he felt sick.
凌晨三點時，我兒子把我叫醒，因為他覺得不舒服。

2. p.m. [ˋpiˋɛm] 形 副 下午的；午後

＊p.m. = post meridiem (after noon)

例：At 4:00 p.m., the students can all leave the elementary school.
下午四點，小學生全都可以離開學校。

3. minute [ˋmɪnɪt] 名 分鐘；瞬間；片刻

縮寫：min.

Wait a minute. 等一下。

mi + nu + te

例：My mom arrived at work thirty minutes late.
我媽媽晚了30分鐘上班。

4. hour [aʊr] 名 小時

＊our 形 我們的

h + our [注意]：h不發音

例：How many hours does it take to drive to Taichung?
開車到台中要幾個鐘頭？

5. half [hæf] 名 一半；半數

h + a + lf

例：Tommy ate half of the cake because he was so hungry.
湯米吃了半個蛋糕，因為他太餓了。

6. clock [klɑk] 名 時鐘

＊lock 動 上鎖

cl + o + ck

例：My clock stopped working last night.
我的時鐘昨晚停了。

7. o'clock [əˋklɑk] 名 …點鐘

o' = of ～的

o' + clock

例：The students all eat lunch at twelve o'clock.
學生們都在12點時吃午餐。

8. quarter [ˋkwɔrtɚ] 名 (1)四分之一；(2)一刻鐘(15分鐘)

quar + ter

例：Mom cut the apple into quarters.
媽媽把蘋果切成了四塊。

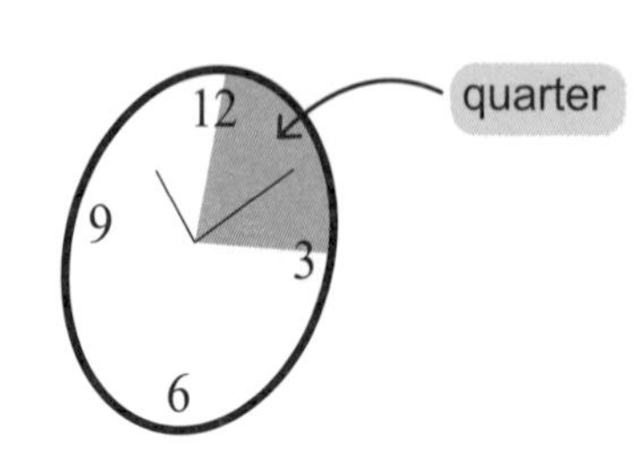

9. past [pæst] 形 過去的

p + a + s + t

例：In the past, there were many farmers in Taiwan.
以前台灣有許多農夫。

10. morning [ˋmɔrnɪŋ] 名 早晨；上午

morn + ing

例：I like to read the newspaper on Sunday morning
我喜歡在週日上午看報。

11. noon [nun] 名 正午

n + oo + n

例：It is usually very hot at noon
正午時分通常很熱。

12. afternoon [ˋæftɚˋnun] 名 下午；午後

after + noon

例：In the afternoon, the children take a nap.
下午的時候，孩子們睡午覺。

> ＊after 介 在...之後
> ＊noon 名 正午

13. evening [ˋivnɪŋ] 名 黃昏；晚間

even + ing

例：Every evening, I take a walk in the mountains.
每天傍晚我都到山上散步。

14. night [naɪt] 名 夜晚；夜間

n + ight

例：Last night, there was a bad thunderstorm.
昨夜有一場很驚人的雷雨。

> 比一比：
> a morning person 晨型人；喜歡早睡早起的人
> a night person = a night owl 夜貓子；喜歡晚睡晚起、晚上比白天活躍的人

15. midnight [ˋmɪd͵naɪt] 名 午夜；子夜十二點

mid + night

例：I often go to bed at midnight because I'm so busy.
我太忙了，所以我通常半夜才上床睡覺。

> ＊mid 形 中間的
> ＊night 名 夜晚

> 比一比：
> midnight 半夜；午夜十二點
> in the early morning 凌晨、清晨

Unit 18

MP3 : R18/S18

1. **time** [taɪm] 名 時間；時期

t + i_e + m

例：There's not enough time to do all my homework.
我沒有足夠的時間做功課。

2. **day** [de] 名 天；白天

d + ay

例：One day, I want to live in France.
總有一天，我要去住法國。

* day 名 日子；天

3. **today** [tə'de] 名 副 今天；現今

to + day

例：We are going to the zoo today.
我們今天要去動物園。

4. **tonight** [tə'naɪt] 名 副 今晚；今夜

to + night

例：You can't stay at your friend's house tonight.
你今晚不能待在你朋友家。

* night 名 夜晚

5. **tomorrow** [tə'mɔro] 名 副 明天；明日；將來

to + mo + rrow

例：Tomorrow we will go on a vacation.
明天我們要去度假。

6. **yesterday** ['jɛstəde] 名 昨天

yes + ter + day

例：We went to the beach yesterday.
我們昨天去海邊。

7. **week** [wik] 名 週

w + ee + k

例：I practice the violin for ten hours each week.
我每週練小提琴10個小時。

8. **weekend** ['wik'ɛnd] 名 週末

week + end

例：On the weekend, I like to relax with my family.
在週末時，我喜歡和我家人一起去放鬆一下。

* week 名 週
* end 名 結束

一週七天英文名稱的由來

名稱	縮寫	由來
Monday 星期一	Mon	Moon月亮／月之女神
Tuesday 星期二	Tue	Tiu北歐的戰神
Wednesday 星期三	Wed	Woden北歐的主神－諸神之父
Thursday 星期四	Thu	Thor北歐的雷神
Friday 星期五	Fri	Frigg北歐的婚姻之神
Saturday 星期六	Sat	Saturn土星／羅馬神話的農神
Sunday 星期日	Sun	Sun太陽／安息日－耶穌在星期日復活

9. **Monday** [ˋmʌnde] 名 星期一

Mon + day

例：I don't have any free time on Mondays.
我星期一沒空。

10. **Tuesday** [ˋtjuzde] 名 星期二

Tues + day

例：Let's meet for breakfast on Tuesday.
我們星期二一起吃個早餐吧！

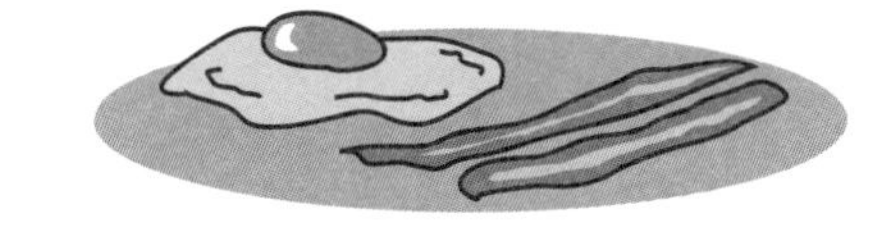

11. **Wednesday** [ˋwɛnzde] 名 星期三

Wed + nes + day

例：I only have to work for four hours on Wednesdays.
我星期三只需要工作四小時。

12. **Thursday** [ˋθɝzde] 名 星期四

Thurs + day

例：I go to piano practice on Thursday.
我星期四去練鋼琴。

13. **Friday** [ˋfraɪˌde] 名 星期五

Fri + day

例：Workers try to leave work early on Fridays.
員工星期五都會比較早下班。

14. **Saturday** [ˋsætɚde] 名 星期六

Sa + tur + day

例：I don't have to get up until 10:00 a.m. on Saturday.
星期六我可以一直睡到早上十點才起床。

15. **Sunday** [ˋsʌnde] 名 星期日

Sun + day

例：Americans love to watch football on Sundays.
美國人喜歡在週日看美式足球賽。

Unit 19

MP3：R19/S19

1. calendar [ˋkæləndɚ] 名 月曆

ca + len + dar

例：Please write the time of our dinner on your calendar.
請把我們晚餐的時間寫在你的月曆上。

月曆calendar的由來

你知道英文的月曆calendar和呼叫的call，在幾千年前可是來自同一個家族的字嗎？這兩個字都是來自同一個古印歐字根*kele-，意思是「呼叫」。原來古時候的人大多以務農或漁獵維生，對於日月運行或計算沒有概念，只有國王和教會有能力觀星看月、設定天體運行的時間長度來區分季節與月份，並記錄每個日子該做什麼事，然後再告訴大家何時該做什麼、哪天要進行何種儀式，或是哪個月份開始可以種植哪種作物。因此到了每個月初，教會就會向大眾宣告(call out)新的一個月份要開始了，告訴大家這個月要做什麼，並且記錄每個紀念聖人與慶典的日子，這個用來記錄月份和日期的東西，就是我們今天所用的月曆，後來就衍生出這個英文字－calendar。

2. year [jɪr] 名 年；一年

y + ear

例：In three years, I will finally go to senior high school.
再過三年，我就要上高中了。

3. month [mʌnθ] 名 一個月

mon + th

例：How many phone calls do you make in one month?
你一個月打幾通電話？

moon 名 月亮

4. January [ˋdʒænjʊ͵ɛrɪ] 名 一月

Janu + ary [縮寫]：Jan.

例：January is the coldest month of the year.
一月是一年最冷的一個月份。

Janus (羅馬神話)門神

5. February [ˋfɛbrʊ͵ɛrɪ] 名 二月

Februa + ry [縮寫]：Feb.

例：Valentine's Day is in February.
情人節在二月。

*Februa (羅馬神話)掌管死亡與潔淨的神

6. March [mɑrtʃ] 名 三月

Mar + ch [縮寫]：Mar.

例：There aren't any holidays in March.
三月沒任何假期。

Mars 名 戰神；火星
march 動 行進
三月春天才開始，古代軍隊要等到春天才能開始練習行軍和軍隊操練。

7. April [ˋeprəl] 名 四月

Ap + ril [縮寫]：Apr.

例：There is always a lot of rain in April.
四月總是雨水很多。

Aphrodite (希臘神話)愛神

8. May [me] 名 五月

M + ay

例：May is the best month to visit America because it's sunny and warm.
五月是造訪美國最好的時間，因為天氣晴朗又溫暖。

Maia (羅馬神話)掌管生產之神

9. June [dʒun] 名 六月

Juno (羅馬神話)掌管婚姻之神

J+u_e+n [縮寫]：Jun.

例：Schools have their final exams in June.
學校六月舉行期末考。

10. July [dʒuˋlaɪ] 名 七月

Julius Caesar 凱薩大帝，他的生日就在七月

Ju + ly [縮寫]：Jul.

例：Baseball is very popular in July
棒球在七月非常熱門。

11. August [ˋɔgəst] 名 八月

Augustus 羅馬皇帝奧古斯都，他的生日在八月

Aug + ust [縮寫]：Aug.

例：August is the hottest month of the year.
八月是一年當中最熱的月份。

12. September [sɛpˋtɛmbɚ] 名 九月

* -sept- 字根 表數字「七」

Sept + ember [縮寫]：Sep.

例：In September, a new school year begins.
九月時，新學年開始。

13. October [ɑkˋtobɚ] 名 十月

* -octo- 字根 表數字「八」

Octo + ber [縮寫]：Oct.

例：Halloween, every child's favorite holiday, is at the end of October
每個孩子最喜歡的萬聖節就在十月底。

14. November [noˋvɛmbɚ] 名 十一月

* -nov- 字根 表數字「九」

Nov + ember [縮寫]：Nov.

例：It's often cloudy and gray in November
十一月通常多雲、天空灰濛濛的。

15. December [dɪˋsɛmbɚ] 名 十二月

* -dec- 字根 表數字「十」，如：十年就是decade

Dec + ember [縮寫]：Dec.

例：Every December, the stores all get ready for Christmas!
每年十二月，所有商店都為聖誕假期做好準備。

英文月份名稱的由來

古羅馬月份	原本名稱	命名由來
一月	Martilis	戰神Mars
二月	Aprilis	(羅馬)愛神Venus (希臘)愛神Aphrodite
三月	Maius	生產之神Maia
四月	Lunius / Junius	婚姻之神Juno
五月	Quintilis	字首quin -代表「五」
六月	Sextilis	字首sex -代表「六」
七月	September	字首sept -代表「七」
八月	October	字首oct -代表「八」
九月	November	字首nov -代表「九」
十月	December	字首dec -代表「十」

古代羅馬曆一年原本只有十個月，第一個月是用春天開始的三月(March)來計算，一直排到十月(December)。由於只有十個月，一年的總天數中還有六十多個寒冷的日子是沒有置月份的「消失的日子(lost days)」，所以非常混亂，後來羅馬國王在一年的最開始加入了兩個月份：一月(January)和二月(February)，並且調整每個月的日數，好讓整個曆法能符合一年有365-366天的太陽運行週期，但所有的月份名稱都沒有變，只是將實際所指的月數再往後推兩個月。

Unit 20

MP3：R20/S20

1. **food** [fud] 名 食物(不可數名詞)

f + oo + d

例：If there is not enough food, just buy some at the supermarket.
如果沒有足夠的食物，到超市裡買一些吧。

2. **seafood** [ˋsi͵fud] 名 海鮮

sea + food

例：I would like the seafood soup, please.
我要點海鮮湯。

＊sea 名 海洋
＊food 名 食物

3. **fresh** [frɛʃ] 形 新鮮的；新近的 副 剛剛

fr + e + sh

例： In Taiwan, it's easy to get fresh seafood.
在台灣要取得新鮮的海鮮很容易。

4. **cook** [kuk] 名 廚師 動 烹煮

c + oo + k

例：My wife can cook any kind of noodles that you like.
我太太會煮你喜歡的任何一種麵。

動詞變化：cook, cooked, cooked, cooking

cooker 名 炊具；廚具

5. **oil** [ɔɪl] 名 (1) 油；(2) 石油

oi + l

例：Adding cooking oil is the first step of this recipe.
加烹飪油是做這道菜的第一步。

來自橄欖的oil

oil這個字是指各種的油，但車子加油的加油站，英文卻不是oil station，為什麼呢？
原來，oil這個字來自橄欖olive，歐洲最早開始使用的油就是從橄欖壓榨而來，後來就由olive這個字衍生出oil，泛指各種可食用的油品，一直到18、19世紀工業革命後，才又將oil的使用範圍擴大到其它的油脂類，但一般用到oil這個字，多半還是指食用的油品。至於交通工具用的汽柴油，會用petroleum或gasoline，所以加油站是gasoline station，下次說車子沒油要去加油，千萬不要說成去oil station囉！

6. **boil** [bɔɪl] 動 煮沸

b + oil

例：Always boil your water before you drink it.
在你喝水前要先把它煮開。

動詞變化：boil, boiled, boiled, boiling

＊oil 名 油

7. **burn** [bɝn] 動 燒；燙

b + ur + n

例：Maria burned her husband's dinner in the oven.
瑪莉亞把她先生的晚餐放到爐子裡燙熱。

動詞變化：burn, burned, burned, burning

8. **order** [ˋɔrdɚ] 名 (1)秩序；(2)訂單 動 訂購；點菜

or + der

例：She ordered potatoes and vegetables.
她點了馬鈴薯和蔬菜。

動詞變化：order, ordered, ordered, ordering

9. menu [ˋmɛnju] 名 菜單；(電腦)功能表；選單

me + nu

例：This menu shows all the different foods we have.
這份菜單裡有我們所有不同的菜色。

10. eat [it] 動 吃

動詞變化：eat, ate, eaten, eating

ea + t

例：How often do you eat fast food?
你多久吃一次速食？

11. soup [sup] 名 湯

s + oup

例：I would like corn soup with my dinner.
我晚餐想要吃玉米湯。

喝湯和吃湯

飯前先喝湯，但英文的「喝湯」可不是drink soup哦，我們要用eat soup「吃湯」來表示。
你可能會問：「湯不是用喝的嗎？不是應該要用drink嗎？」這是因為不論中西式的湯其實都會有材料在裡面，需要用牙齒咀嚼，即使是沒有材料的湯也會很濃稠，要用湯匙來「吃」，所以動詞要用eat(吃)。
而英文的drink「喝」這個動作，通常指用吸管喝飲料，或是拿瓶罐直接對嘴喝，你可能又會問：「那我喝清湯不能用drink嗎？」如果是高湯或清湯，直接拿起餐盤像喝飲料那樣對著嘴drink，會被視為是沒有禮貌的舉動，一般人也不會拿吸管去吸湯，所以只有飲料才能drink，湯要用eat。

12. breakfast [ˋbrɛkfəst] 名 早餐

＊break 動 打破
＊fast 名 齋戒；禁食

break + fast

例：I always eat breakfast at six o'clock.
我都是在六點吃早餐。

13. lunch [lʌntʃ] 名 午餐

l + un + ch

例：Let's go out for lunch today; it's my treat.
今天我們出去吃午餐吧，我請客。

14. brunch [brʌntʃ] 名 早午餐

＊br- = breakfast 名 早餐
＊-unch = lunch 名 午餐

br + un + ch

例：This restaurant is always full for Sunday brunch.
這間餐廳在週日早午餐時間總是滿的。

15. dinner [ˋdɪnɚ] 名 晚餐

din + ner

例：Dinner is usually the biggest meal of the day.
晚餐通常都是一天中最豐盛的一餐。

Unit 21

MP3：R21/S21

1. meal [mil] 名 餐

m + ea + l

例：Most meals at a night market cost about sixty dollars.
大部分夜市裡的餐點多半都是六十塊。

2. cereal [ˋsɪrɪəl] 名 玉米片；穀類麥片

ce + real

例：Tom just eats cereal with milk each morning.
湯姆每個早上只吃穀類麥片配牛奶。

＊real 形 真的

3. noodle [ˋnudl̩] 名 麵條

n + oo + dle

例： Do you prefer to eat thick or thin noodles?
你喜歡吃寬麵還是細麵？

4. spaghetti [spəˋgɛtɪ] 名 義大利麵

spa + g(h)e + tti

例：Spaghetti is served at Italian restaurants.
義式餐廳有供應義大利麵。

＊spa 名 水療池；溫泉
老師教你記：
做完spa去吃spaghetti

5. pizza [ˋpitsə] 名 披薩

pi + zza

例：A good pizza must have a lot of cheese.
一份好披薩必須要有很多起司。

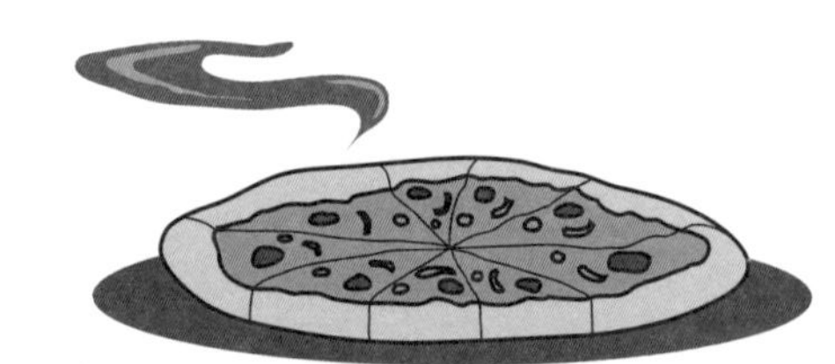

6. rice [raɪs] 名 米；飯

r + ice

例：Most people in Asia eat rice with every meal.
大部分亞洲人每餐都吃飯。

7. dumpling [ˋdʌmplɪŋ] 動 (1) 餃子；(2) 水果布丁

dump + ling

例：The best dumplings are made by hand.
最棒的餃子都是手工做的。

＊dump 動 丟棄；倒
＊-ling 字尾 指小的東西
老師教你記：
煮水餃都是包完，然後丟(dump)到熱水鍋裡煮

8. meat [mit] 名 (可食用的)肉類

m + eat

例：Which meat do you want? Pork, beef, or chicken?
你想要哪種肉？豬肉？牛肉？還是雞肉？

＊eat 動 吃

人稱與身體部位 | 數字與顏色 | 天氣與時間 | 日常飲食 | 居家環境 | 服裝配件 | 運動與嗜好 | 植物與動物 | 英文部首輕鬆學

9. steak [stek] 名 牛排

st + eak

例：Eating an entire steak can fill you up.
吃一整份牛排可以把你填飽。

牛排熟度這樣說

raw	全生	rare	一分熟
medium rare	三分熟	medium	五分熟
medium well	七分熟	well done	全熟

10. beef [bif] 名 牛肉

bee + f

例：The beef is very thin, so you can cook it fast.
這牛肉很薄，所以你可以快煮。

＊bee 名 蜜蜂

11. chicken [ˋtʃɪkɪn] 名 雞；雞肉

chick + en

例：I once ate a whole chicken by myself.
我曾經自己吃完一整隻雞。

＊chick 名 小雞
注意：chicken 口語 懦夫、軟腳蝦
中文問：「你是點雞肉嗎？」英文千萬不要說成：
Are you chicken? (你是膽小鬼嗎？)

12. egg [ɛg] 名 蛋

e + gg

例：Eggs give you a lot of energy.
雞蛋提供你很多能量。

13. pork [pork] 名 豬肉

p + or + k

例：Frank forgot about the pork he was cooking, so it got burned.
法蘭克忘了他正在煮豬肉，所以它煮焦了。

14. fish [fɪʃ] 名 魚；魚肉 動 釣魚

f + ish

例：A salmon is a kind of fish which can jump.
鮭魚是一種會彈跳的魚。

動詞變化：fish, fished, fished, fishing

go fishing 片語 釣魚

15. shrimp [ʃrɪmp] 名 (小)蝦

shr + imp

例：I can eat one hundred shrimps at just one meal.
我一餐可以吃一百隻蝦子。

「很瞎」－流行語要這樣說

中文口語我們常說「很瞎」，英文要怎麼說呢？千萬不要想到什麼蝦子shrimp，或眼睛瞎掉的blind哦。英文表達「瞎」的意思，可以用 lousy(很遜)或 lame(很爛)來表示。

Unit 22

MP3：R22/S22

1. cheese [tʃiz] 名 乳酪；起司

ch + ee + se

例：That cheese is starting to turn blue! Throw it away!
那個乳酪變藍色了！丟掉它！

Say 'Cheese!' 笑一個！(拍照用語)

2. tofu [ˋtofu] 名 豆腐

(中文) 豆腐

例：Stinky tofu smells bad, but it tastes good.
臭豆腐聞起來臭，但吃起來香。

stinky tofu 臭豆腐

3. vegetable [ˋvɛdʒətəbl̩] 名 蔬菜

vege + table

例： I like my vegetables cooked, not raw.
我喜歡吃煮過的蔬菜，不是吃生的。

4. pea [pi] 名 豌豆

p + ea

例：Picky Nicky didn't like peas.
挑剔的妮奇不喜歡豌豆。

5. bean [bin] 名 豆類；豆子的總稱

b + ea + n

例：Farmers in the central United States plant beans
在美國中部的農夫種豆子。

Mr. Bean 豆豆先生(喜劇演員)

6. cabbage [ˋkæbɪdʒ] 名 甘藍菜；捲心菜；高麗菜

cab + bage

例：The woman cut up the cabbage in only thirty seconds.
那個婦人三十秒就可以把一顆高麗菜切碎。

＊cab 名 計程車
＊bag 名 袋子
老師教你記：
計程車cab，載了一個bag的cabbage

7. carrot [ˋkærət] 名 胡蘿蔔

car + rot

例：Rabbits like to steal carrots from my garden.
兔子喜歡從我的花園裡偷走胡蘿蔔。

8. corn [kɔrn] 名 玉米

c + or + n

例：The corn in my field is now more than two meters tall.
我田裡的玉米已經超過兩公尺高了。

popcorn 名 爆玉米花

9. lettuce [ˋlɛtəs] 名 萵苣

le + tt + uce

例：Lettuce is the most important part of a salad.
萵苣在沙拉裡是最重要的部分。

10. celery [ˋsɛlərɪ] 名 芹菜

cel + ery

例：Kids are afraid of the smell of celery.
小孩怕芹菜的味道

比一比：celery [ˋsɛlərɪ] 名 芹菜
salary [ˋsælərɪ] 名 薪水

11. onion [ˋʌnjən] 名 洋蔥

on + i + on

例：Cutting onions all day will make you cry.
整天切洋蔥會讓你一直哭。

onion ring 洋蔥圈

12. pumpkin [ˋpʌmpkɪn] 名 南瓜

pump + kin

例：Pumpkin pie is a favorite food at Thanksgiving in America.
在美國，感恩節最受喜愛的食物就是南瓜派。

* pump 名 幫浦

Jack-o'-lantern 南瓜燈

13. nut [nʌt] 名 堅果；核果

n + u + t

例：Very small animals collect nuts to eat during the cold winter.
小動物收集堅果來吃以度過寒冬。

peanut 名 花生
hestnut 名 栗子

nut 口語 瘋狂、狂熱者
例：Are you nuts? (你瘋了嗎？)

14. potato [pəˋteto] 名 馬鈴薯

po + ta + to

例：Take the skin off a potato before you eat it.
吃馬鈴薯前先把皮剝掉。

15. tomato [təˋmeto] 名 蕃茄

to + ma + to

例：I like to put tomato slices on my turkey sandwich.
我喜歡在火雞三明治上放蕃茄片。

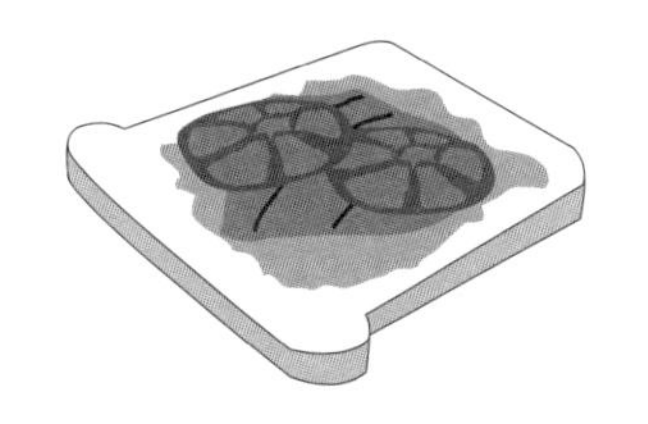

Unit 23

MP3 : R23/S23

1. **fruit** [frut] 名 水果 (不可數名詞)
   fr + ui + t
   例：Eating some fruit every day is healthy.
   每天吃一些水果是健康的。

2. **apple** [ˋæpl̩] 名 蘋果
   a + pple
   例：The boy has an apple tree in his backyard.
   那男孩在他家後院有一棵蘋果樹。

3. **banana** [bəˋnænə] 名 香蕉
   ba + na + na
   例：This beautiful island is filled with banana trees.
   這個美麗島嶼種滿了香蕉樹。

4. **papaya** [pəˋpaɪə] 名 木瓜
   pa + pa + ya
   例：My brother doesn't like papaya because it's not very sweet.
   我哥哥不喜歡木瓜，因為它沒有很甜。

   papaya milk 名 木瓜牛奶

5. **grape** [grep] 名 葡萄
   gr + a_e + p
   例：Grapes are used to make wine.
   葡萄被拿來製造葡萄酒。

   grapefruit 名 葡萄柚

6. **guava** [ˋgwɑvə] 名 芭樂
   gua + va
   例：I like eating guava that is not too hard nor too soft.
   我喜歡吃不會太硬也不會太軟的芭樂。

7. **lemon** [ˋlɛmən] 名 檸檬 形 檸檬黃
   le + mon
   例：Some people like to put lemon in their tea.
   一些人喜歡把檸檬加在茶裡。

   比一比：lemon juice 名 檸檬原汁
   lemonade 名 檸檬水

8. **mango** [ˋmæŋgo] 名 芒果
   man + go
   例：The taste of a beautiful, orange mango is delicious.
   美麗鮮黃的芒果滋味很棒。

   * man 名 男人
   * go 動 走

9. orange [ˋɔrɪndʒ] 名 柳橙；橘色 形 橘色的

or + an + ge

例：Oranges are filled with vitamin C.
柳橙有豐富的維生素C。

10. peach [pitʃ] 名 桃子

p + ea + ch

例：You should try the peach-flavored ice cream at that store!
你應該試試那家店裡的桃子口味冰淇淋！

11. pear [pɛr] 名 洋梨

p + ear

例：Bears eat pears.
熊吃梨子。

avocado 名 酪梨

12. pineapple [ˋpaɪn͵æpl̩] 名 鳳梨

pine + apple

例：You should cut the pineapple into small pieces.
你應該要把鳳梨切成小塊。

＊pine 名 松樹
＊apple 名 蘋果

長在松樹上的蘋果－pineapple

鳳梨英文pineapple，就是松樹的pine加上蘋果的apple。為什麼會有這個名字呢？原來鳳梨這種水果的原生地在南美洲，17世紀時，歐洲的探險家們第一次看到鳳梨這種熱帶水果，覺得它的長相很像他們認識的松果(pine cone)，而apple則常作為對各種植物果實的統稱，像是切面很像愛心形狀的蕃茄就有個別稱叫love apple，於是歐洲人便將這種長得像松果的水果命名為pineapple，意思是「如松果般的果實」。

13. strawberry [ˋstrɔbɛrɪ] 名 草莓

straw + berry

例：Americans love to put strawberry jam on toast.
美國人喜歡在吐司上塗草莓果醬。

＊straw 名 稻草
＊berry 名 莓果

blueberry 名 藍莓
blackberry 名 黑莓

14. water [ˋwɔtɚ] 名 水(不可數名詞) 動 澆水；流出水

wa + ter

例：I drink a lot of water during the summer.
我夏天時喝很多水。

動詞變化：water, watered, watered, watering

tap water 名 自來水

15. watermelon [ˋwɔtɚ͵mɛlən] 名 西瓜

water + melon

例：It is less messy if you eat watermelon outside.
若你在外頭吃西瓜，比較不會弄得一團亂。

＊water 名 水
＊melon 名 甜瓜

Unit 24

1. **bread** [brɛd] 名 麵包

b + read

例：The French love to have bread with each meal.
法國人每餐都喜歡配麵包。

＊ read 動 閱讀
breadwinner 名 賺錢養家的人

2. **bun** [bʌn] 名 小圓甜麵包

b + u + n

例：Most hamburger buns are not healthy at all.
大部分漢堡的麵包一點都不健康。

3. **toast** [tost] 名 吐司；烤麵包片 動 烤吐司

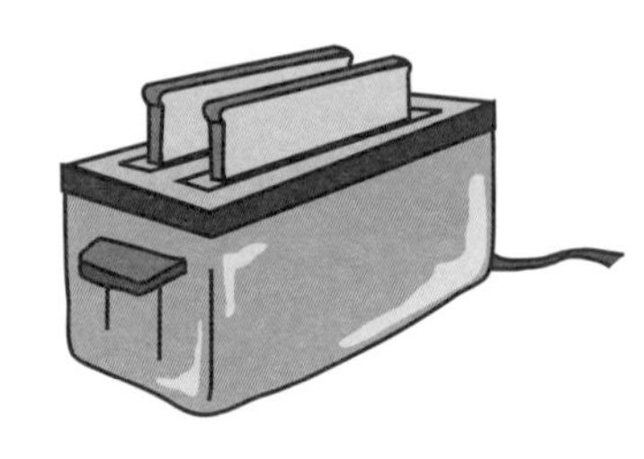

t + oa + st

例：Toasted bread makes a sandwich taste better.
吐司烤過後會讓三明治吃起來更美味。

4. **jam** [dʒæm] 名 (1) 果醬；(2) 擁擠

j + am

例：Keep this jar of jam in the refrigerator.
把這罐果醬保存在冰箱裡。

5. **ham** [hæm] 名 火腿

h + am

例：A ham sandwich should be served with lettuce and tomato.
火腿三明治應該要搭配萵苣和蕃茄。

6. **burger** [ˋbɝgɚ] 名 漢堡

bur + ger

例：If you're going to have a barbecue, you should have plenty of burgers.
如果你們要烤肉，你應該要有很多漢堡。

veggie burger 名 素漢堡

7. **hamburger** [ˋhæmbɝgɚ] 名 漢堡

ham + burger

例：These juicy hamburgers only cost $100 dollars each.
這些多汁的漢堡每個只要一百塊錢。

＊ ham 名 火腿
＊ burger 名 漢堡

8. **sandwich** [ˋsændwɪtʃ] 名 三明治

sand + wich

例：My wife made this sandwich for me.
我太太幫我做了這個三明治。

＊ sand 名 沙子

三明治的由來

以前英國有個貴族很熱中下棋打牌，為了這個嗜好連下桌吃飯都不願意，可是不吃東西肚子會餓，於是他就叫僕人把菜和肉片用切片麵包夾著，方便他一邊下棋一邊吃東西，後來的人就用這個貴族的封地名稱Sandwich，來稱呼這種切片麵包夾菜和火腿片的食物為Sandwich，也就是今天我們所熟知的「三明治」了。

9. **hot** [hɑt] 形 熱的

h + o + t

例：You look so cold, how about some hot soup?
你看起來很冷的樣子，要來點熱湯嗎？

10. **hot dog** [hɑt] [dɔg] 名 熱狗

例：I want ketchup on my hot dog.
我的熱狗想加蕃茄醬。

11. **fry** [fraɪ] 動 煎；炸；炒 名 炸的東西

fr + y

例：Eating fried food is unhealthy, but it tastes so good.
吃油炸食物不健康，但它嚐起來很棒。

動詞變化：fry, fried, fried, frying

人+ have other fish to fry
片語 還有別的事要忙

12. **French fries** [frɛntʃ] [fraɪz] 名 炸薯條

例：I don't really like French fries because they are too salty.
我不大喜歡薯條，因為它們太鹹了。

* French 形 法國的
* fry 名 炸的東西

和法國沒關係的French fries

炸薯條 French fries，雖然字裡有個French，但其實和法國沒有太大的關係，而且只有美國人稱這樣的食物叫French fries，英國人稱之為chips，法國人則叫它 pommes de terre frites (= fried potatoes)。原來這種炸薯條的吃法最早流傳於比利時馬士河流域的一個小村落，當地居民習慣將河裡釣起的小魚油炸食用，但冬天河面結冰，沒辦法釣魚，窮苦的居民便將馬鈴薯切成條狀油炸裹腹。第一次世界大戰期間，美國士兵在比利時當地看到了這樣的吃法，因為當地居民說的是法語，美國士兵們就把這種食物稱為French fries，後來這個食物和稱呼便隨著士兵們回到美國並且流傳開來。

13. **cake** [kek] 名 蛋糕

c + a_e + k

例：Do you know how to make a cake?
你知道怎麼做蛋糕嗎？

14. **pie** [paɪ] 名 派

p + ie

例：My aunt makes the most delicious apple pie!
我阿姨做的蘋果派是最棒的！

as easy as pie = as easy as A, B, C
片語 非常容易
例：Come on! It's as easy as pie.
(來嘛。這很容易的。)

15. **cookie** [ˋkʊkɪ] 名 餅乾

cook + ie

例：If you finish your dinner, you can have a cookie.
如果你吃完晚餐，你就可以吃餅乾。

* cook 動 煮
* -ie 字尾 指「小」的名詞字尾

Unit 25

1. **salt** [sɔlt] 名 鹽

s + al + t

例：Fish is much better with salt.
魚加鹽更好吃。

2. **salad** [ˋsæləd] 名 沙拉

＊ -sal- 字根 鹽

sal + ad

例：Eating a salad is a good idea if you want to lose weight.
如果你想減重，吃沙拉是個好主意。

薪水、沙拉本一家

薪水和沙拉有什麼關係呢？原來薪水的英文叫做salary，這個字裡有一個字根叫做-sal-，這個字根的意思是「鹽」，因為在古代，鹽巴是很貴重的東西，只有沿海才有鹽，內陸地方鹽就是很珍貴的東西，所以以前古羅馬的士兵領軍餉時領的就是一袋一袋的「鹽」，於是就產生了薪水 salary 這個字。
沙拉則是自古羅馬時期就已在中亞和南歐被廣泛食用的一道菜，當時的沙拉大多是以綠色生菜搭配鹽鹵或有鹽調味的醋食用，於是和 salary一樣用了-sal-(鹽)這個字根，就有了salad這個字。

3. **sugar** [ˋʃugɚ] 名 糖

sugarcane 名 甘蔗

su + gar

例： Coca cola is so delicious because it's full of sugar.
可口可樂很好喝，因為裡面都是糖。

4. **butter** [ˋbʌtɚ] 名 奶油

比一比：butter + fly = butterfly 名 蝴蝶
dragon + fly = dragonfly 名 蜻蜓

peanut butter 花生醬

but + ter

例：We need to add some butter to give the food flavor.
我們需要加一些奶油來讓食物更具風味。

5. **pepper** [ˋpɛpɚ] 名 胡椒；胡椒粉

比一比：pepper [ˋpɛpɚ] 名 胡椒
paper [ˋpepɚ] 名 紙張

pe + pp + er

例：None of the tables had any pepper, so I asked the waitress to bring me some.
沒有一張桌子有胡椒粉，所以我要服務生給我一些。

6. **soy sauce** [sɔɪ] [sɔs] 名 醬油

＊ soy 名 黃豆
＊ sauce 名 醬汁

例：Most people like to eat dumplings with soy sauce.
大部分人喜歡吃沾醬油的餃子。

7. **ketchup** [ˋkɛtʃəp] 名 蕃茄醬

ke + tch + up

例：Most people like ketchup and mustard on hamburgers.
大部分人都喜歡在漢堡裡加蕃茄醬和芥末醬。

來自閩南語的蕃茄醬

你可能會以為蕃茄醬ketchup這個字，和burger一樣是從英文來的字，不不！ketchup這個字和閩南語可是有很深的淵源哦！

在很早以前，以小魚小蝦醃鹽成汁的魚露，一直是中國華南乃至東南亞地區常見的調味料，17世紀時，在福建廈門一帶的居民將混和調味料加入魚露蝦油中，成為另一種叫做「鮭汁(kôe-chiap)」的調味料，之後廣為流傳至馬來亞地區。18世紀時，英國探險家們將這種異國味道帶回歐洲，並以它原來的名字拼成catchup或ketchup來稱呼，隨後成為英國人餐桌上必備的調味品。到了19世紀，美國的烹飪家們將切碎的蕃茄加入了這種調味料中，並調成較甜的口味，成了全新的一種調味料，但仍保留ketchup這個名字，而且還在全美各地流行開來，從此，ketchup蕃茄醬就成了這種醬料的代名詞了。

8. **drink** [drɪŋk] 動 喝；飲酒 名 飲料

動詞變化：drink, drank, drunk, drinking

dr + ink

例：After dinner, we decided to drink some wine.
晚餐後，我們決定來喝點紅酒。

9. **beer** [bɪr] 名 啤酒

老師教你記：吃 beef 配啤酒 beer

b + ee + r

例： It tastes great to drink a beer with your hot dog.
喝啤酒配你做的熱狗真對味。

10. **coffee** [ˋkɔfɪ] 名 咖啡

比一比：coffee [ˋkɔfɪ] 名 咖啡
coffin [ˋkɔfɪn] 名 棺材

co + ff + ee

例：Some coffee is too bitter for me to drink.
有些咖啡太苦，我喝不下去。

11. **Coke** [kok] 名 可樂（商標名）

c + o_e + k

例：How many bottles of Coke did you drink?
你喝了幾瓶可樂？

12. **juice** [dʒus] 名 果汁；肉汁

ju + ice

例：Children like to drink juice more than milk.
孩子喜歡喝果汁勝過喝牛奶。

13. **milk** [mɪlk] 名 牛奶 動 擠(牛)奶

m + il + k

例：The milk is so old that it tastes sour.
牛奶放太久味道都發酸了。

14. **soda** [ˋsodə] 名 蘇打；氣泡飲料

so + da

例：Drinking soda every day is bad for your health.
每天喝氣泡飲料對你的健康不好。

15. **tea** [ti] 名 茶

t + ea

例：I don't like so much sugar in my tea.
我不喜歡茶裡放太多糖。

Unit 26

1. ice [aɪs] 名 冰

I + ce

例：If your leg is hurt, put some ice on it.
如果你的腿會疼痛，那就放些冰塊在上面。

2. cream [krim] 名 奶油；乳霜

cr + ea + m

例：If your knee hurts, you can put cream on it.
如果你的膝蓋痛，你可以在上面塗一些乳霜。

3. ice cream [aɪs] [krim] 名 冰淇淋

例： I want three scoops of ice cream, please.
請給我三球冰淇淋。

＊ ice 名 冰
＊ cream 名 乳霜
ice cream cone 冰淇淋甜筒

冰淇淋甜筒的由來

大家都愛吃冰淇淋，很多大小朋友除了冰淇淋外，最愛的就是下方裝冰淇淋的餅乾甜筒了，在國外買冰淇淋時，店員都會問：「 Cone or cup?」就是問你「要用餅乾甜筒還是用紙杯裝？」這個甜筒(cone)是怎麼出現的呢？原來在很久以前冰淇淋都是用碗裝的。據說二十世紀初在美國的一個全球商展會場上，有很多賣冰淇淋的小販，其中有個小販的冰淇淋碗用光了，只好緊急向隔壁賣中東脆餅的小販厄尼斯(Earnest Hamwi)求助，厄尼斯便將脆餅捲成筒狀，好讓冰淇淋小販能拿來盛裝冰淇淋好繼續做生意，沒想到這個點子大受歡迎，後來大家都開始用餅乾捲筒來裝冰淇淋，從此風行全球。

4. popcorn [ˋpɑp͵kɔrn] 名 爆玉米花

pop + corn

例：Don't put too much butter in your popcorn!
不要在爆米花裡放太多奶油！

＊ pop 動 爆出；發出爆裂聲
＊ corn 名 玉米

5. candy [ˋkændɪ] 名 糖果

can + dy

例：Andy likes candy.
安弟愛糖果。

＊ can 助 可以

6. chocolate [ˋtʃɑkəlɪt] 名 巧克力 形 巧克力口味的

cho + co + late

例：Eating a little chocolate sometimes can be good for you.
偶爾吃一點巧克力對你很好。

7. snack [snæk] 名 小點心

sn + a + ck

例：She eats snacks all day long; she doesn't eat meals.
她整天都在吃點心，她都不吃正餐。

比一比：snack [snæk] 名 點心
snake [snek] 名 蛇

8. **sweet** [swit] 形 (1)甜的；(2)親切的

sw + ee + t

例：Doughnuts are too sweet for me.
甜甜圈對我來說太甜了。

9. **bitter** [ˋbɪtɚ] 形 苦的；辛酸的

bi +tt + er

例：Coffee has a bitter taste, but I still like it.
咖啡嚐起來苦苦的，但我還是很愛。

10. **sour** [ˋsaʊr] 形 酸的

s + our

例：The lemon candy is very sour.
那檸檬糖很酸。

11. **yummy** [ˋjʌmɪ] 形 可口的

y + u + mm + y

例：Most kids think candy is very yummy.
大部分的孩子覺得糖果很好吃。

12. **delicious** [dɪˋlɪʃəs] 形 美味的

deli + cious

例：There is nothing better than eating a delicious apple.
沒有比吃一顆美味蘋果更棒的事了。

＊deli 名 小吃店；熟食店

13. **hungry** [ˋhʌŋgrɪ] 形 飢餓的；渴望的

hun + gry

例：I'm so hungry because I haven't eaten anything yet today.
我好餓，因為我今天都還沒吃任何東西。

比一比：hungry [ˋhʌŋgrɪ] 形 飢餓的
Hungary [ˋhʌŋgərɪ] 名 匈牙利(國家名)

14. **thirsty** [ˋθɝstɪ] 形 口渴的

th + ir + s + ty

例：When you're thirsty, drink water, not beer.
當你口渴的時候，喝水，不要喝啤酒。

比一比：thirsty [ˋθɝstɪ] 形 口渴的
thirty [ˋθɝtɪ] 名 三十

15. **full** [fʊl] 形 滿的

f + u + ll

例：I just ate a steak, so I'm very full.
我才剛吃完一客牛排，所以我很飽。

比一比：full [fʊl] 形 滿的
fool [ful] 名 笨蛋

Unit 27

1. in [ɪn] 介 副 在…裡面；在裡面

be in 口語 時尚的；最新流行的

i + n

例：I lived in New York City for ten years.
我在紐約住了十年。

2. on [ɑn] 介 在…上面 副 (動作) 繼續下去

o + n

例：Put the book on the desk.
把書放到桌上。

3. at [æt] 介 在…地點；在…時刻

a + t

例：Meet me at the mall.
我們購物中心見。

比一比：in, on, at

in, on, at這三個介系詞很常用，可以用來接「地點」或接「時間」：

■ 接地點時：

in：(1) 在裡面，如：in the box, in the house
(2) 指國家、城市等比較大範圍的地點，如：in China, in Taipei

on：在上面，而且有接觸到表面，如：on the third floor, on the table

at：通常指較小範圍的定點，不特定指在裡面或在外面，如：at the park, at the door

■ 接時間時：

in：接上午、下午、傍晚和年、月、季節等較長的時間，如：in the morning, in 2012, in summer

on：接星期、日期、節日，如：on Monday, on my birthday, on Teacher's Day

at：接正午、午夜和幾點幾分，如：at eight o'clock, at seven thirty

4. out [aʊt] 副 離去；出去；向外

ou + t

例：Let's go out to eat tonight.
我們今晚出去吃。

5. over [ˋovɚ] 介 在…上 副 在…上面；在高處

o + ver

例：I saw birds fly over my head.
我看到鳥兒們飛過我頭上。

6. above [əˋbʌv] 介 在…之上 副 在較高處

ab + ove

例：My apartment is above a noisy pub.
我住的公寓在一間很吵的酒吧上方。

7. below [bəˋlo] 介 低於下方 副 在下面；在底下

* low 形 低的

be + low

例：I don't like to wear a skirt below my knee.
我不喜歡穿過膝的裙子。

8. **under** [ˋʌndɚ] 介 在下方；在…之下；低於

un + der

例：There is a magazine under the table.

在桌子下方有一本雜誌。

9. **between** [bɪˋtwin] 介 在中間；介於二者之間

twin 名 雙胞胎

be + tween

例：I live between the McDonald's restaurant and the movie theater.

我住在麥當勞和電影院之間。

10. **from** [frɑm] 介 來自…；從…來

例：It takes four hours to travel from Kaohsiung to Taipei.

從高雄到台北要花四個小時。

come from的陷阱

看到from這個字，大家最常用到的場合就是問：「你從哪裡來？你是哪裡人？」英文是「Where are you from?」，但有個片語叫 come from，意思是指「來自～」，這個片語一出現，問題也就跟著來了。

很多人會直覺地用 come from這個片語來問，所以問句就會變成：Where are you come from?老外可能聽得懂，但這個問句其實是錯的。come是動詞，動詞用在問句時，動詞之前要有一個助動詞do，所以如果用come from這個片語問：「你來自哪裡？」英文就要說：Where do you come from?

回答時說：「我來自台灣。」英文就是：I come from Taiwan.

如果要用are這個be動詞，問句就是：Where are you from?

回答也可以說：I am from Taiwan.

不論用 be動詞或用come from這個片語，都可以表達同樣的意思，但記得千萬不要把這兩個東西放在同一個句子裡哦！

11. **to** [tu] 介 向；到 不定詞 (為了)去…

例：I am too old to run five kilometers.

我太老了，沒辦法跑五公里。

12. **near** [nɪr] 形 (距離或時間) 近的

＊ ear 名 耳朵

n + ear

例：The child is playing near the street.

那小孩在離街道很近的地方玩。

13. **close** [kloz] 動 關閉 形 近的；親密的

動詞變化：close, closed, closed, closing

cl + o_e + s

例：Did you close the lid on the fruit container?

你有把水果盒的蓋子蓋上嗎？

14. **of** [əv] 介 …的 (表示所有權、份量等)

例：The King of England had many servants hundreds of years ago.

在數百年前，英國國王有許多僕人。

15. **off** [ɔf] 介 副 (1)離開；(2)去除；除掉

to take off 片語 脫掉

to take (two days) off 片語 休假(兩天)

o + ff

例：Push this giant rock off the bridge and into the water.

把這塊巨石推下橋到水裡。

Unit 28

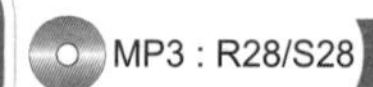

1. home [hom] 名 家

h + o_e + m

例：The little child just wanted to go home.
那個小孩子只想要回家。

2. homework [ˋhomˌwɝk] 名 作業、功課

home + work

例：Teachers think that giving more homework makes students smarter.
老師認為多出些作業給學生會讓學生更聰明。

> ＊home 名 家
> ＊work 名 工作

3. house [haus] 名 房屋；平房

h + ou + se

例：I want to move into a larger house.
我想要搬去大一點的房子。

> housewife 名 家庭主婦
> on the house 片語 (飲料) 免費、老闆請客

4. housework [ˋhausˌwɝk] 名 家事 (不可數名詞)

house + work

例：I do housework once a week.
我每週做一次家事。

> ＊house 名 房子
> ＊work 名 工作

5. door [dor] 名 門

d + oo + r

例：The front door was broken, so the thief got their money easily.
前門壞掉了，所以小偷很輕易就把他們的錢拿走了。

> from door to door 片語 挨家挨戶

6. floor [flor] 名 地板；樓層

fl + oo + r

例：Never eat food that is on the floor.
絕對不要吃地板上的食物。

> the floor is 人's 口語 輪到～上台/表演
> 例：Ruby, the floor is yours.
> 露比，換你上台了。

7. wall [wɔl] 名 牆

w + all

例：We should paint this wall because it looks ugly.
我們應該要把這面牆漆一下，因為它看起來好醜。

> the Great Wall 萬里長城

移動的長城－The Walking Great Wall

姚明是第一位進入美國職籃NBA打球的華人。身高2米26的他，不論在哪裡都是鎂光燈的焦點。在2000年參加奧運籃球賽時，他和其它兩個同樣身高七呎(210公分)以上的隊友一起被稱為「The Walking Great Wall」，也就是「移動的長城」。

8. gate [get] 名 大門

g + a_e + t

例：Miranda waited for the man to open the front gate.
米蘭達等著那男人來開前門。

9. window [ˋwɪndo] 名 窗戶

* wind 名 風

wind + ow

例：The thief climbed into the house through the bedroom window
小偷是從臥室的窗戶爬進屋子裡來的。

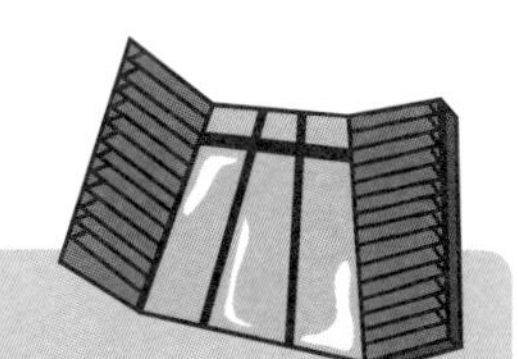

來自屋頂的Window

window這個字來自古北歐語的「vindauga」，vindr是指風(wind)，auga指眼睛(eye)，「風的眼睛 = 窗戶」？原來，因為北歐地處寒帶，北歐民族為了讓住的地方能有光線，但又不至於讓太多冷空氣進入屋子裡，只能在屋頂處開一個小洞透光，但冷風還是會時不時地從小洞中吹進來，因此這個透光口就有了vindauga(風之眼)的稱呼，之後才漸漸發展出用木頭或動物毛皮來做為小洞遮蓋的窗戶。
後來在維京時期，大量的北歐人往南移動，北歐語也在這時影響了古代的英語，所以後來就有了英文中的window這個字了。

10. screen [skrin] 名 (1) 螢幕；(2) 紗窗

the big screen 口語 大螢幕、電影

scr + ee + n

例：This window doesn't have a screen, so my house is filled with mosquitoes.
這扇窗戶沒有紗窗，所以我家到處都是蚊子。

11. yard [jɑrd] 名 (1) 院子 (2) 碼(長度單位)

y + ar + d

例：My dog is playing in the front yard.
我的狗正在前院玩。

12. garden [ˋgɑrdn̩] 名 花園、庭園

gar + den

例：I have always wanted a garden in my backyard.
我一直想要在後院裡有個花園。

13. garage [gəˋrɑʒ] 名 車庫

* age 名 年紀

gar + age

例：Most houses in America have a two-car garage.
大部分美國的房子都有可停放兩輛車的車庫。

14. garbage [ˋgɑrbɪdʒ] 名 垃圾(不可數名詞)

* bag 名 袋子

gar + bag + e

例：The garbage truck comes to my street every night at 6:30.
垃圾車每晚六點半就會到我家前面的馬路上。

15. balcony [ˋbælkənɪ] 名 陽台

bal + co + ny

例：I like to eat my breakfast out on my balcony.
我喜歡在我外面的陽台吃早餐。

Unit 29

MP3 : R29/S29

1. room [rum] 名 (1) 房間(可數名詞)；(2) 空間(不可數名詞)

r + oo + m

例：The rock band left a mess in their hotel rooms.
這個搖滾樂團離開飯店房間時裡面是一團亂。

some elbow room 活動空間

2. live [lɪv] 動 生活；居住
[laɪv] 形 副 現場的

例：I have lived in Taipei for five years.
我已經在台北住五年了。

例：Have you ever seen this show live?
你有在現場看過這個表演嗎？

動詞變化：live, lived, lived, living

a live show 片語 現場表演

3. living room [lɪvɪŋ] [rum] 名 客廳

living + room

例： I like to watch TV in the living room.
我喜歡在客廳看電視。

* living 名 生活；起居
* room 名 房間

4. table [tebḷ] 名 (1) 餐桌；桌子；(2) 表格

t + able

例：There are many magazines on the coffee table.
小茶几上有許多雜誌。

under the table
片語 檯面下地；私底下地

5. desk [dɛsk] 名 桌子；書桌

d + e + sk

例：Don't put your feet up on the desk.
不要把你的腳放在書桌上。

6. chair [tʃɛr] 名 椅子

ch + air

例：A comfortable office chair can be very expensive.
一張舒適的辦公椅很貴。

* air 名 空氣

chairman 名 主席

7. sofa [`sofə] 名 沙發

例：Mark was so tired that he fell asleep on the sofa.
馬克很累，所以在沙發上睡著了。

8. couch [kautʃ] 名 躺椅；長沙發；貴妃椅

c + ouch

例：My wife wants to throw away the dirty, old couch.
我太太想要把那張又髒又舊的躺椅給扔了。

Ouch! 哎喲！
a couch potato 口語 電視迷

9. coach [kotʃ] 名 (1)教練；(2)客車廂

c + oa + ch

例：The coach is angry at his team because they lost again.
該名教練對球隊發脾氣，因為他們又輸了。

老師教你記：教練必有「可取」之處
比一比：couch [kaʊtʃ] 名 躺椅
coach [kotʃ] 名 教練；客車廂

10. bench [bɛntʃ] 名 板凳；長凳

b + e + n + ch

例：Let's sit on this bench and just relax.
我們坐到長凳子上放鬆一下吧。

各種椅子的名稱

chair 椅子

couch 躺椅

sofa 沙發

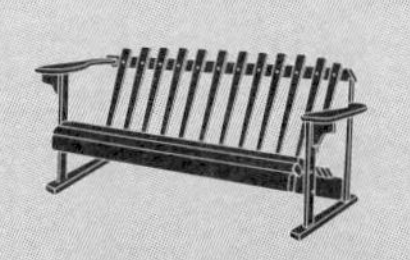

bench 長椅

armchair 手扶椅

rocking chair 搖椅

high chair 嬰兒餐椅

stool 凳子

11. lock [lɑk] 名 鎖 動 上鎖

l + o + ck

例：Keep the back door locked all the time.
後門要隨時上鎖。

動詞變化：lock, locked, locked, locking

比一比：lock [lɑk] 名 鎖 動 上鎖
luck [lʌk] 名 好運

12. locker [ˋlɑkɚ] 名 附鎖的置物櫃

lock + er

例：Every student at this school has his or her own locker.
這間學校的每個學生都有自己的置物櫃。

* lock 名 鎖
* -er 字尾 表人或事物的名詞字尾

locker room 名 更衣室

13. television [ˋtɛlə͵vɪʒən] 名 電視

tele + vision

例：This television is so huge that it's like being at the movies.
這台電視機很大台，就好像在電影院一樣。

* tele- 字首 遠的
* vision 名 視覺；視野

14. telephone [ˋtɛlə͵fon] 名 電話；話機

tele + phone

例：The telephone is ringing! Pick it up!
電話在響！快接起來！

* tele- 字首 遠的
* -phone- 字根 聲音

15. fan [fæn] 名 (1) 風扇；扇子；(2) ～迷、粉絲

f + an

例：I turn the fan to a very high speed on hot days.
天氣熱時我會把電扇轉到最高速。

a movie fan 名 電影迷

Unit 30

MP3：R30/S30

1. bed [bɛd] 名 床

b + e + d

例：The bed is so large that three people could sleep on it!
這張床很大，夠三個人一起睡！

比一比：bed [bɛd] 名 床
bad [bæd] 形 壞的

2. bedroom [ˋbɛd͵rum] 名 臥房

bed + room

例：Patty stayed in her bedroom crying all day.
派蒂一整天都待在她的臥房裡哭。

* bed 名 床
* room 名 房間

3. blanket [ˋblæŋkɪt] 名 毛毯

blank + et

例：The poor child takes his blanket with him everywhere.
那個可憐的孩子走到哪都帶著他的小毯毯。

* blank 名 空白、空格

a wet blanket 口語 掃興鬼

4. pillow [ˋpɪlo] 名 枕頭

pil + low

例：She brings a pillow to work so she can take a nap.
她帶一個枕頭去上班，休息打盹時可以用。

* low 形 低的

5. sheet [ʃit] 名 床單；(一) 張、片

sh + ee + t

例：Change the sheets on your bed every week.
每週都要更換你的床單。

比一比：sheet [ʃit] 名 床單；(一)張、片
shit [ʃɪt] 名 大便

6. closet [ˋklɑzɪt] 名 (1)壁櫥；(2)碗櫥；(3)衣櫥

close + t

例：Her closet is filled with useless old toys.
她的衣櫥裡滿是沒用的舊玩具。

* close 動 關起來
* -et 字尾 指小東西的名詞字尾

7. hang [hæŋ] 動 (1) 吊；掛；懸著 (2) 絞刑；吊死

h + ang

例：Hang the new dress in your closet.
把新洋裝掛到衣櫥裡。

Hang on. = Hold on.
(電話用語) 等一下

8. hanger [ˋhæŋɚ] 名 掛鉤

hang + -er

例：I need some hangers to hang up my coats.
我需要一些掛鉤來吊我的大衣。

* hang 動 吊掛
* -er 字尾 指人或事物的名詞字尾

a clothes hanger 名 衣架

9. **study** [ˋstʌdɪ] 動 名 學習；研讀 名 書房

st + u + dy

例：Why are you studying French?
為什麼你要學法文？

動詞變化：study, studied, studied, studying

10. **lamp** [læmp] 名 燈；檯燈；路燈

l + am + p

例：He studied under the light of the lamp.
他在檯燈的燈光下讀書。

11. **light** [laɪt] 名 (1)光線 (不可數)；(2)燈 (可數) 形 (1)明亮的；(2)輕的

l + ight [注意]：gh不發音

例：Turn on the lights when you read.
看書時要開燈。

12. **computer** [kəmˋpjutɚ] 名 電腦；計算機

com + put + er

例：This old computer is just too slow.
這台舊電腦速度太慢了。

* compute 動 計算
* -er 字尾 表人或事物的名詞字尾

13. **print** [prɪnt] 動 印製

pr + in + t

例：You need to print the page out and mail it.
你得把這一頁印出來然後寄出。

動詞變化：print, printed, printed, printing

14. **printer** [ˋprɪntɚ] 名 (1) 印表機；(2) 印刷工人

print + er

例：The printer is broken again, so email everything, please.
印表機又壞了，所以請把所有東西都用電子郵件寄。

* print 動 列印
* -er 字尾 表人或事物的名詞字尾

15. **copy** [ˋkɑpɪ] 動 影印；複製 名 冊

c + o + py

例：Please give a copy of this page to each student.
請把這一頁影印發給每個學生一份。

動詞變化：copy, copied, copied, copying

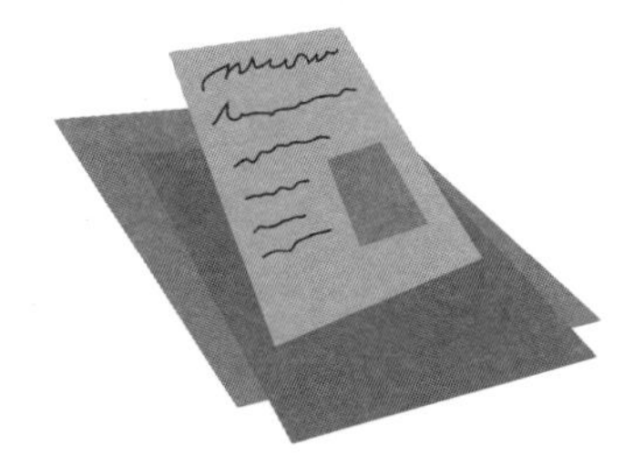

Unit 31

MP3：R31/S31

1. bath [bæθ] 名 洗澡；泡澡

b + a + th

例：I like to take a bath and relax after a hard day at work.
我喜歡在一整天努力工作後泡個澡放鬆一下。

to take a bath 片語 洗澡；泡澡

2. bathroom [ˋbæθ͵rum] 名 浴室；洗手間

bath + room

例：This apartment only has one bathroom.
這間公寓只有一間洗手間。

* bath 名 洗澡；沐浴
* room 名 房間

3. toilet [ˋtɔɪlət] 名 廁所；馬桶

toi + let

例：This toilet is broken, so please use the other bathroom.
馬桶壞掉了，所以請用另一間廁所。

4. tub [tʌb] 名 桶；木盆

t + u + b

例：My grandmother used to wash her clothes in a large tub.
我祖母以前是用大木盆洗衣服的。

bathtub 形 澡盆

5. sink [sɪŋk] 名 洗碗槽；洗手槽 動 下沉；沒入

s + ink

例：The boy couldn't swim, so he started to sink.
那男孩不會游泳，所以他開始下沉。

動詞變化：sink, sank, sunk, sinking

* ink 名 墨水

6. mirror [ˋmɪrɚ] 名 鏡子

mir + ror

例：Look into the mirror and tell me what you see.
看看鏡子，然後告訴我你看到什麼。

Mirror, mirror on the wall；
Who in the land is fairest of all?
魔鏡魔鏡，誰是世上最美的人？
(白雪公主故事裡巫婆的台詞)

7. brush [brʌʃ] 動 刷 名 刷子

br + u + sh

例：Buy a brush to paint the house.
買支刷子來刷房子。

動詞變化：brush, brushed, brushed, brushing

8. toothbrush [ˋtuθ͵brʌʃ] 名 牙刷

tooth + brush

例：You should get a new toothbrush every three months.
每三個月應該要換一把新牙刷。

* tooth 名 牙齒
* brush 名 刷子

to brush 人's teeth 片語 刷牙

9. soap [sop] 名 肥皂

s + oa + p

例：Wash your hands with soap after using the bathroom.
在上完廁所後要用肥皂洗手。

10. towel [ˋtauəl] 名 毛巾

t + ow + el

例：You must bring your own towel to the gym.
你要帶自己的毛巾上健身房。

> 比一比：towel [ˋtauəl] 名 毛巾
> tower [ˋtauɚ] 名 高塔
> 老師教你記：毛巾掛牆上，wall有l → towel

11. dry [draɪ] 動 弄乾 形 乾燥的

dr + y

例：The sand on the beach is very dry.
沙灘上的沙子很乾燥。

> 動詞變化：dry, dried, dried, drying

12. dryer [ˋdraɪɚ] 名 (1) 吹風機；(2) 烘乾機

dry + er

例：Let's quickly put the wet clothes in the dryer.
我們趕快把溼衣服放到烘乾機裡。

> * dry 動 弄乾
> * -er 字尾 表人或事物的名詞字尾

13. shelf [ʃɛlf] 名 架子

she + lf

例：Put the salt on the shelf.
把鹽放在架子上。

14. cup [kʌp] 名 (1) 杯子；一杯的量 (2) 獎盃

c + up

例：This recipe calls for one cup of sugar.
這道食譜需要一杯的糖。

> * up 副 朝上

15. lid [lɪd] 名 蓋子

l + i + d

例：Put a lid on your cup, or you might spill it in my car.
把你的茶杯蓋上蓋子，不然你會潑到我的車子裡。

> eyelid 名 眼皮

Unit 32

MP3 : R32/S32

1. **dining room** [ˋdaɪnɪŋ] [rum] 名 飯廳

din + ing

例：We always eat Thanksgiving dinner in the dining room.
我們都是在飯廳吃感恩節晚餐。

* dine 動 用餐；吃正餐
* room 名 房間

2. **kitchen** [ˋkɪtʃɪn] 名 廚房

kit + chen

例：I cook in my kitchen every evening.
我每天傍晚在廚房煮飯。

* kitty 名 小貓
老師教你記：Hello Kitty凱蒂貓

3. **fire** [faɪr] 名 火，火災

f + i_e + r

例：It's so cold, get closer to the fire!
太冷了，靠火近一點！

on fire 片語 著火

4. **gas** [gæs] 名 汽油；瓦斯

g + a + s

例：Gas is getting so expensive.
汽油愈來愈貴了。

a gas station 名 加油站
to pass gas 片語 放屁

5. **stove** [stov] 名 火爐

st + o_e + v

例：I spilled milk on the hot stove.
我把牛奶灑到火爐上了。

老師教你記：煮「豆腐」用「stove」

6. **pan** [pæn] 名 平底鍋

p + an

例：Use a pan to cook the eggs.
用平底鍋來煮蛋。

pancake 名 鬆餅

比一比：Pan 和 Wok

pan 平底鍋

wok 中式炒菜鍋

7. **pot** [pɑt] 名 壺；鍋

p + o + t

例：It's better to cook soup for a long time in a huge pot.
用大鍋子煮湯時最好煮久一點。

hot pot 名 火鍋

8. oven [ˋʌvən] 名 烤箱

ov + en

例：After the microwave oven was invented, cooking became much easier.
微波爐發明後，煮東西變得容易得多。

a microwave oven 名 微波爐

9. bowl [ˋbol] 名 碗；一碗的量

bow + l

例：Put cereal in the bowl and add milk.
把穀片放到碗裡，然後加進牛奶。

10. dish [dɪʃ] 名 碗盤；一盤(菜餚)

d + i + sh

例：I am preparing a special dish for my boyfriend.
我正在為我男朋友準備一道很特別的菜。

to do the dishes 片語 洗碗盤

11. plate [plet] 名 盤子；盆；碟

p + late

例：Just put each piece of pizza on a plate.
把每一片披薩放到盤子上。

* late 形 副 晚的；遲的

12. fork [fɔrk] 名 叉子

f + or + k

例：It's easier to eat salad with a fork.
用叉子吃沙拉比較容易。

13. knife [naɪf] 名 刀子；小刀

kn + i_e + f [注意]：k不發音

例：You need a sharp knife to eat steak.
吃牛排你要一把利一點的刀子。

14. chopsticks [ˋtʃɑpˏstɪks] 名 筷子(複數)

chop + sticks

例：The American can use chopsticks very well.
那個美國人筷子用得很好。

老師教你記：
* chop 動 砍、劈、切
* stick 名 棍、條、籤
筷子就是用竹子或木頭砍劈(chop)下來的小木條(stick)

15. spoon [spun] 名 湯匙

sp + oo + n

例：She used the large spoon to serve the pudding.
她用大湯匙挖布丁。

be born with a silver spoon in 人's mouth
片語 含著金湯匙出生

Unit 33

MP3：R33/S33

1. tool [tul] 名 工具

t + oo + l

例：There are many tools you can use to fix a car.
有許多工具你們可以用來修理車子。

2. hammer [ˋhæmɚ] 名 鐵鎚；榔頭

＊ham 名 火腿

ham + mer

例：All the men were using hammers to fix the house.
所有人都用鐵槌來修房子。

3. needle [ˋnidḷ] 名 針

＊need 動 名 需要
老師教你記：
需要(need)一根針(needle)
來縫衣服，I need a needle.

need + le

例：Nurses must always use a clean needle when giving a shot.
護士在打針時一定要用乾淨的針。

4. pin [pɪn] 名 大頭針；別針

a pin camera
名 針孔攝影機；隱藏式攝影機

p + in

例：David is wearing a special red pin today.
大衛今天戴著一個很特別的紅別針。

5. pipe [paɪp] 名 煙斗；笛子；管子

p + i_e + p

例：The water pipe was broken, so there was water all over the bathroom.
水管破了，所以浴室裡到處都是水。

慘痛的代價－Pay the piper

pipe是笛子、管子，字尾加上-er，piper，指的是「吹笛子的人」。英文裡有個成語叫做pay the piper，付錢給吹笛人，這是什麼意思呢？
原來在古代歐洲有一個傳說故事。在德國的Hamelin，常常受到老鼠的侵擾，大大小小的老鼠常常會咬傷人、害人得病，村裡的人不堪其擾。有一天，村裡來了一個身穿有如小丑般雜色衣服的吹笛手，吹笛手說：「我可以吹笛子把老鼠都趕走，但你們要付我錢！」村裡的人答應了，於是吹笛手便吹起他的笛子。說也奇怪，笛音一出現，村裡的老鼠就好像著了魔一樣全跑出來，大大小小的老鼠跟著吹笛人走，一路走到河邊然後跳進水裡淹死了。鼠患解決之後，村裡的人就想反正老鼠都死了，打算不付錢，吹笛人很生氣，就說：「你們將付出慘痛的代價！」於是，吹笛人再度拿起笛子吹奏，這回，村裡的小孩子們全像著了魔似的，跟著吹笛人一路走，不論那些爸爸媽媽怎麼阻攔都沒有用，一大群孩子就跟著吹笛人一路走向遠方，從此消失。
於是，後來就有了這個片語pay the piper，意思是指一個人要信守承諾、說話要算話，不然將付出慘痛的代價。

6. straw [strɔ] 名 (1)稻草；(2)吸管

strawberry 名 草莓

str + aw

例：Many animals sleep on straw every night.
許多動物晚上都是睡在稻草上。

7. rope [rop] 名 繩索

jump rope 名 跳繩

r + o_e + p

例：Climb up the rope until you reach the tree branch.
爬繩子上去到你碰到那個樹枝。

8. napkin [ˋnæpkɪn] 名 餐巾

nap + kin

例：My face is dirty. Does anyone have a napkin?
我的臉好髒。誰有餐巾紙？

> 老師教你記：
> ＊nap 動 打盹
> ＊-kin 字尾 指小東西的名詞字尾
> 打瞌睡時要避免口水流滿地，要放一塊專用小方巾，就是餐巾(napkin)

9. trash [træʃ] 名 垃圾(不可數名詞)

tr + ash

例：Pick up your trash before you leave this room.
離開這個房間前把垃圾撿乾淨。

> ＊ash 名 灰；煙灰

10. bottle [ˋbɑtl̩] 名 瓶子；一瓶的量

bot + tle

例：The woman is collecting many bottles for recycling.
那個婦女收集許多瓶子回收。

11. can [kæn] 名 罐頭 動 裝罐頭 助 可以，會

c + an

例：She gave me a can of Coke.
她給我一罐可樂。

例：I can swim.
我會游泳。

> a can of Coke 名 一罐可樂

12. glass [glæs] 名 (1) 玻璃(不可數名詞)；(2) 玻璃杯(可數名詞)

gl + a + ss

例：Stay away from the broken glass on the ground.
離地上那些破掉的玻璃遠一點。

13. pair [pɛr] 名 一對；一雙

p + air

例：I think you need a new pair of shoes.
我覺得你需要一隻新鞋子。

> a pair of 片語 一雙～、一副～、一對～

成雙成對的pair

pair是指一雙或一對的東西，常用到一雙或一對的東西包括：

a pair of gloves (一雙手套)	a pair of shoes (一雙鞋子)	a pair of glasses (一副眼鏡)
a pair of socks (一雙襪子)	a pair of scissors (一把剪刀)	a pair of pajamas (一套睡衣)
a pair of chopsticks (一雙筷子)	a pair of jeans (一條牛仔褲)	

14. piece [pis] 名 一片；一塊；一件

pi + ece

例：Have a piece of pie before you go.
離開前先來一片派吧。

> piece of cake
> 片語 一片蛋糕，也可以指輕而易舉、非常容易

15. slice [slaɪs] 名 薄片；切片 動 把…切成薄片

sl + ice

例：Canadians like sliced bread, but most French people do not.
加拿大人喜歡切片的麵包，但法國人大部分不喜歡。

> 動詞變化：slice, sliced, sliced, slicing

Unit 34

1. **clothes** [kloz] 名 衣服、衣物(永遠為複數)

   cloth + es

   例：She has so many clothes that she needs two closets.
   她有太多衣服，所以需要兩個衣櫃。

> ＊cloth 名 布料；抹布

> Fine clothes make the man.
> 諺語 人要衣裝；佛要金裝。

2. **dress** [drɛs] 名 洋裝、服裝 動 穿衣；打扮

   dr + e + ss

   例：Mike is dressed in a suit and a tie.
   麥克穿著套裝和領帶。

> 動詞變化：dress, dressed, dressed, dressing

3. **dresser** [ˋdrɛsɚ] 名 (附有抽屜的)梳妝檯；五斗櫃；餐具櫃

   dress + -er

   例：Put all your socks in the dresser.
   把所有的襪子放到五斗櫃裡。

> 老師教你記：
> ＊dress 名 洋裝
> 動 穿衣
> ＊-er 字尾 表人或事物的名詞字尾
> 用來穿衣打扮的東西叫「梳妝檯」，用來放洋裝的東西叫「五斗櫃、衣櫃」。

4. **coat** [kot] 名 外套；大衣

   c + oa + t

   例：Wear a warm coat before you go out.
   出門前先穿一件保暖大衣。

5. **jacket** [ˋdʒækɪt] 名 短上衣；夾克外套

   jack + et

   例：You should wear a jacket in the fall.
   你秋天應該要穿件夾克。

> ＊Jack (男子名) 傑克

6. **shirt** [ʃɝt] 名 襯衫

   sh + ir + t

   例：The new blue shirt cost him three thousand dollars.
   那件新的藍襯衫花了他三千塊。

7. **T-shirt** [ˋtiˏʃɝt] 名 T恤

   例：When I'm at home, I like to just wear an old T-shirt.
   我在家時喜歡只穿一件舊T恤。

8. **underwear** [ˋʌndɚˏwɛr] 名 內衣

   under + wear

   例：Boys should not wear pink underwear.
   男孩們不應該穿粉紅色的內衣。

> 老師教你記：
> ＊under 介 在...下面
> ＊wear 動 穿
> 穿在外衣底下的衣服就是內衣。

9. **vest** [vɛst] 名 背心；(英)貼身背心內衣

   v + e + st

   例：He is wearing a vest under his jacket.
   他在夾克裡穿了一件背心。

> 老師教你記：
> 中文說「V領背心」

10. pajamas [pəˋdʒæməs] 名 睡衣褲、上下兩件式的睡衣

pa + ja + mas

例：Some people like to wear pajamas to bed.
有些人喜歡穿睡衣睡覺。

來自南亞的睡衣

pajamas這個字是英文裡的「外來語」哦！
這個字原本指的是南亞和回教世界人們穿著的一種寬鬆長褲，就像我們今天看到很多回教國家人們穿的那種褲子。18、19世紀時，英國在亞洲地區殖民，這種服裝也隨之流傳到英國及歐洲其它國家，作為睡覺時穿的衣服，這種下半身穿的寬鬆褲子搭配寬鬆上衣的睡衣，也就成了今天我們所熟知的pajamas。
另外，pajamas是指上面的睡衣配下面的睡褲，所以「一套睡衣」英文要用a pair of pajamas，單位詞要用pair哦！

11. shorts [ʃɔrts] 名 寬鬆運動短褲

＊ short 形 短的

short + s

例：Students are not allowed to wear shorts at this school.
學生在學校不准穿著運動短褲。

12. jeans [dʒinz] 名 牛仔褲

j + ea + n + s

例：I feel very comfortable in a pair of jeans.
我穿牛仔褲覺得很舒服。

13. pants [pænts] 名 (1) (英)男人的內褲 (2) (美)長褲

＊ ants 名 螞蟻(複數)
美國的pants = 英國的trousers [ˋtrauzəz]

p + ants

例：Why don't you wear brown pants with that shirt?
為什麼你不穿棕色褲子配那件襯衫？

14. skirt [skɝt] 名 裙子

sk + ir + t

例：The teacher asked all the girls to wear skirts tomorrow.
老師要所有女生明天穿裙子。

15. sweater [ˋswɛtə] 名 毛衣；毛線衫

老師教你記：
＊ sweat 動 流汗
＊ -er 字尾 表人或事物的名詞字尾
會讓人熱到流汗的衣服就是毛衣。

sweat + -er

例：That sweater looks good on you.
你穿那件毛衣很好看。

coat　jacket　shirt　T-shirt　vest　sweater

dress　skirt　underwear　shorts　jeans　pants(美) trousers(英)

Unit 35

MP3：R35/S35

1. suit [sut] 名 (1)(一套)衣服 (2) 西裝

s + ui + t

例：You must wear a suit to the job interview.
你要穿套裝去參加面試。

2. swimsuit [ˋswɪmsut] 名 泳衣

swim + suit

例：She feels embarrassed to wear such a tiny swimsuit.
穿那麼小件的泳衣讓她覺得很窘。

* swim 動 游泳
* suit 名 (一套)服裝

3. raincoat [ˋrenˏkot] 名 雨衣

rain + coat

例：We wore our raincoats to the game so we wouldn't get wet.
我們穿雨衣去看比賽，所以我們不會被淋溼。

* rain 動 下雨
* coat 名 大衣

4. uniform [ˋjunəˏfɔrm] 名 制服

uni + form

例：The students don't like their purple uniforms.
學生們不喜歡他們的紫色制服。

老師教你記：
* uni- 字首 單一的
* form 名 形式
大家都只穿單一形式的衣服，就叫做制服

5. socks [sɑks] 名 襪子(複數)

s + o + ck + s

例：White socks don't go with black pants.
白襪子和黑長褲不搭。

6. shoes [ʃuz] 名 鞋子(複數)

sh + oe + s

例：These shoes don't fit me anymore.
這些鞋子我再也穿不下了。

7. slippers [ˋslɪpɚz] 名 拖鞋(複數)

slip + p + er + s

例：Take off your shoes and wear these slippers instead.
脫鞋子，然後穿上這些拖鞋。

* slip 動 滑動
* -er 字尾 表人或事物的名詞字尾

8. sneakers [ˋsnikɚz] 名 運動鞋(複數)

sneak + er + s

例：You should wear sneakers if you expect to walk a long distance.
如果你會走很長的距離，你應該要穿運動鞋。

老師教你記：
* sneak 動 偷偷溜走
* -er 字尾 表人或事物的名詞字尾
穿著運動鞋走路都沒有聲音，就像偷溜走一樣。

9. tie [taɪ] 動 繫；栓 名 領帶

t + ie

例：I learned to tie a tie when I was fourteen years old.
我十四歲時學習打領帶。

動詞變化：tie, tied, tied, tying

necktie 名 領帶

10. belt [bɛlt] 名 帶狀物；腰帶

b + e + l + t

例：Rob forgot to wear a belt, so his pants fell down.
洛伯忘了繫腰帶，所以他的褲子掉下來了。

11. button [ˋbʌtn̩] 名 (1) 鈕扣；(2) 按鈕

butt + on

例：One of the buttons on your shirt is missing.
你襯衫上的一顆扣子掉了。

* butt 名 煙蒂

12. pocket [ˋpɑkɪt] 名 口袋

pock + et

例：Put this card in your pocket, please.
請將卡片收到你的口袋裡。

13. ring [rɪŋ] 名 (1) 戒指；環狀物；(2) 鈴聲

r + ing

例：Adam wears his wedding ring every day.
亞當每天都戴著他的婚戒。

Give me a call.
= Give me a ring.
打個電話給我。

14. earring [ˋɪr͵rɪŋ] 名 耳環；耳飾

ear + ring

例：The woman's earring fell off at the party.
那個女人的耳環在派對裡掉下來了。

* ear 名 耳朵
* ring 名 戒指

15. necklace [ˋnɛklɪs] 名 項鍊

neck + lace

例：The necklace was given to her by her mother.
那條項鍊是她媽媽給她的。

* neck 名 脖子
* lace 名 蕾絲；繫繩

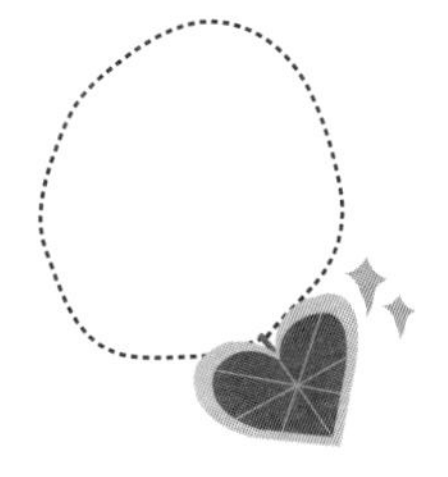

Unit 36

1. **hat** [hæt] 名 帽子

h + a + t

例：That hat makes you look stupid.
那頂帽子讓你看起來很蠢。

2. **cap** [kæp] 名 運動帽；便帽

c + a + p

例：Wear a cap to protect your head from the sun.
戴頂運動帽來保護你的頭免於陽光傷害。

比一比：Hat 和 Cap

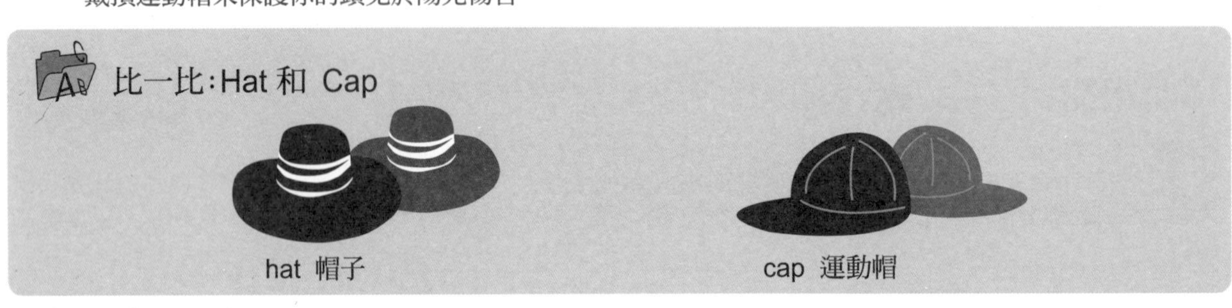

3. **comb** [kom] 動 梳理 名 梳子

com + b

例： Scott forgot to comb his hair this morning.
史考特今天早上忘了梳頭。

動詞變化：comb, combed, combed, combing

4. **mask** [mæsk] 名 (1) 面具；(2) 口罩

m + ask

例：Children often wear masks on Halloween.
孩子們在萬聖節通常都戴著面具。

老師教你記：
* ask 動 問
請問你是誰，因為你戴口罩和面具

5. **scarf** [skɑrf] 名 圍巾；領巾

scar + f

例：Wear a scarf to protect your neck from the cold wind.
戴條圍巾來保護你的脖子免得被冷風吹到。

* scar 名 疤痕

6. **handkerchief** [ˋhæŋkɚtʃɪf] 名 手帕

hand + ker + chief

例：Please use this handkerchief to blow your nose.
請用這手帕來擤鼻涕。

老師教你記：
* hand 名 手
* kerchief 名 方頭巾
* chief 名 酋長、大頭目
古代只有部落的大頭目才有資格綁頭巾， kerchief 就是包頭的頭巾，handkerchief 用手拿的頭巾，就是手帕。

7. **glove** [glʌv] 名 手套

g + love

例：You must wear gloves when driving in the winter.
你冬天開車時一定要戴手套。

* love 動 愛

8. umbrella [ʌmˋbrɛlə] 名 雨傘

老師教你記：Ella帶雨傘

um + br + ella

例：The sun is so strong that it's better to sit under this umbrella.
太陽太猛烈了，所以最好坐在這把傘下面。

9. bag [bæg] 名 袋、包

eye bags 名 眼袋

b + a + g

例：Your bag is so full that I think it's going to break!
你的袋子太滿了，所以我覺得它快破了！

10. purse [pɝs] 名 錢包；(女用)手提包

p + ur + se

例：Her favorite purse cost ten thousand dollars.
她最愛的手提包要一萬塊。

11. wallet [ˋwɑlɪt] 名 皮夾；錢包

wall + et

例：I don't carry a lot of cash in my wallet.
我錢包裡不放太多錢。

12. key [ki] 名 鑰匙

k + ey

例：The car key is on top of the table.
車鑰匙在餐桌上。

13. pen [pɛn] 名 筆

比一比：pen [pɛn] 名 筆
pan [pæn] 名 平底鍋

p + e + n

例：Can you lend me your pen?
可以跟你借一下筆嗎？

14. glasses [ˋglæsɪz] 名 眼鏡

＊ glass 名 玻璃

glass + es

例：A new pair of glasses might cost four thousand dollars.
一副新眼鏡可能要四千塊錢。

15. box [bɑks] 名 盒子；箱子

複數變化：boxes
boxer 名 拳擊手
boxers 名 (拳擊手穿的)四角褲

b + o + x

例：My mother sent me a box of apples.
我媽媽寄了一箱蘋果給我。

Unit 37

1. **big** [bɪg] 形 大的

🗣 b + i + g

例：The Reynolds' mansion is so big, but only four people live there.
雷諾家的房子好大，但只有四個人住那兒。

No big deal. 沒什麼好大驚小怪的。

2. **small** [smɔl] 形 小的

📖 s + mall

例：My birthday cake was so small that not everyone got a piece.
我的生日蛋糕太小了，所以不是每個人都有一片。

* mall 名 購物中心

It's a small world.
小小世界；世界真是小。

3. **medium** [ˋmidɪəm] 形 中等的；中號的

📖 med + ium

例：I turned the microwave to medium heat to cook the vegetables.
我把微波爐轉到中火來煮青菜。

4. **large** [lɑrdʒ] 形 大的；大型號的

🗣 l + ar + ge

例：There is a large hole in the street that needs to be fixed.
街道上有一個大洞需要修補。

衣服尺寸

XS = Extra Small
S = Small
M = Medium
L = Large
XL = Extra Large
XXL = Extra Extra Large

5. **plus** [plʌs] 介 加

🗣 pl + u + s

例：This plate is broken. Plus, it's ugly.
這個盤子破了，而且，它還很醜。

6. **minus** [ˋmaɪnəs] 介 減去

📖 mi + nus

例：Ten minus two is eight.
十減二等於八。

計算方法

加法 addition	2 + 3 = 5 plus sign
減法 subtraction	5 − 3 = 2 minus sign
乘法 multiplication	2 × 3 = 6 multiplication sign
除法 division	6 ÷ 3 = 2 division sign

7. **enough** [əˋnʌf] 形 充足的；足夠的

📖 en + ou + gh [注意]：gh 唸 [f]

例：Harry is old enough to learn driving.
哈利已經夠大可以學開車了。

8. **only** [ˋonlɪ] 形 唯一的

📖 on + ly

例：You are the only person I can trust.
你是我唯一可以信任的人。

9. **about** [əˋbaʊt] 介 副 大約；將近

ab + out

例：It's about noon. Let's have lunch together!
快中午了。我們一起吃午餐吧！

10. **before** [bɪˋfor] 副 以前

be + fore

例：Anita came home before five o'clock to cook dinner.
艾妮塔五點前回到家煮飯。

＊-fore- 字根 向前

forehead 名 額頭
foresee 動 預見

11. **after** [ˋæftɚ] 介 以後 副 在…之後

af + ter

例：After the car accident, the poor woman was sent to the hospital.
車禍發生後，那可憐的女人被送到醫院去。

After you. (表示禮讓)你先請。

12. **up** [ʌp] 介 在上方 副 向上

u + p

例："Hold up the book you are reading!" said the teacher angrily.
老師生氣地說：「闔上你的書！」

What's up? 什麼事？

13. **down** [daʊn] 介 在下面 副 往下

d + ow + n

例：If you fall down, just get up again.
如果你跌倒了，就再站起來。

14. **for** [fɔr] 介 為了…

f + or

例：I don't want to spend two thousand dollars for a pair of shoes!
我不想為一雙鞋子花兩千塊！

15. **by** [baɪ] 介 (1) 在…旁邊；(2) 透過；(3) 搭…交通工具
副 經過；在旁邊

b + y

例：The new book is written by J.K. Rowling.
這本新書是J.K.羅琳所寫的。

by + 交通工具 搭乘～
by car 片語 搭汽車
by bus 片語 搭公車
by train 片語 搭火車

by + 交通工具 = 搭乘～

搭乘交通工具，我們通常用「by + 交通工具」，如：by bus (搭公車)、by train (搭火車)。千萬記得這裡的交通工具是「抽象名詞」，意思是指「透過(某種交通工具)去～」，不是指特定的「某一輛車」或是「那一架飛機」，所以交通工具之前不可加冠詞，後方也不能加 s哦！

Unit 38

MP3：R38/S38

1. come [kʌm] 動 來

com + e

例：I can't come to your party because I'm busy.
我太忙了，所以不能來參加你的派對。

動詞變化：come, came, come, coming

Come in. 請進。

2. go [go] 動 去；走；離開

g + o

例：Mom, I need to go to school right now.
媽媽，我現在得去上學了。

動詞變化：go, went, gone, going

3. leave [liv] 動 離開 名 休假

l + ea + ve

例：Don't leave me in this dark room by myself!
不要把我自己一個人留在黑黑的房間裡！

動詞變化：leave, left, left, leaving

to take a sick leave 片語 請病假
比一比：leave [liv] 動 離開
live [lɪv] 動 居住

4. move [muv] 動 名 搬家；移動

mo + ve

例："Don't move!" the police officer yelled.
警察大喊：「不准動！」

動詞變化：move, moved, moved, moving

5. play [ple] 動 (1) 玩；(2) 彈奏(樂器)；(3) 打球；(4) 下棋 名 一齣劇

pl + ay

例：I like to play with my friends.
我喜歡和我的朋友一起玩。

動詞變化：play, played, played, playing

6. talk [tɔk] 動 名 說話

t + al + k

例：I don't want to talk to you anymore!
我再也不想跟你說話了！

動詞變化：talk, talked, talked, talking

7. walk [wɔk] 動 走路

w + al + k

例：Let's take a walk on the beautiful beach.
我們在美麗的沙灘上散個步吧。

動詞變化：walk, walked, walked, walking

8. sit [sɪt] 動 坐

s + i + t

例：You can't just sit at your desk and sleep!
你不能只是坐在你的位子上睡覺！

動詞變化：sit, sat, sat, sitting

Sit down. 坐下。
sit-up 名 仰臥起坐

9. **stand** [stænd] 動 站立 名 攤位

動詞變化：stand, stood, stood, standing

a food stand 名 小吃攤

st + and

例：The angry teacher asked the student to stand up.
那生氣的老師叫學生站起來。

比一比：stand up 和 stand 人 up

stand是站立，stand up 是站起來，這個很多人都知道，但如果在這個片語中間加入一個人，變成「stand 人 up」，讓這個人一直站著，這就是我們口語說的「放某人鴿子、爽約」的意思。比方說：Lisa stood Tim up. 就是莉莎讓提姆一直站著等，等到最後還是一直站著，當然就是莉莎放提姆鴿子啦！

10. **sleep** [slip] 動 名 睡覺

動詞變化：sleep, slept, slept, sleeping

to get 人's beauty sleep 片語 睡美容覺

sl + ee + p

例：How many hours of sleep do you get each night?
你每晚都睡幾個小時？

11. **sleepy** [ˋslipɪ] 形 愛睏的；想睡的

＊sleep 動 睡覺
＊-y 字尾 形容詞字尾，表「充滿…的」

sleep + -y

例：If you feel so sleepy, you should take a nap.
如果你想睡覺，你應該小睡一下。

12. **asleep** [əˋslip] 形 睡著的

＊a- 字首 表「朝向(to)」
＊sleep 動 睡覺

a + sleep

例：Timmy fell asleep during his big exam, so he failed.
提米在大考時睡著了，所以他考不及格。

形容詞比一比：sleepy 和 asleep

feel sleepy 覺得想睡

fall asleep 睡著了

13. **wake** [wek] 動 醒來；使醒來

動詞變化：wake, woke, woken, waking

老師教你記：
lake 名 湖
Wake up! 醒來！起床！

w + a_e + k

例：We need to leave the house at eight, so wake up at seven.
我們要在八點離開家，所以要七點起床。

14. **rest** [rɛst] 名 (1)休息；(2)其餘的部分 動 休息

動詞變化：rest, rested, rested, resting

to take a rest 片語 休息一下

r + e + st

例：My wife always takes a rest when she sits in a car.
我太太坐在車子裡時都會小睡片刻。

15. **lie** [laɪ] 動 (1) 撒謊；(2) 躺(下) 名 謊言

動詞變化：(撒謊) lie, lied, lied, lying
(躺下) lie, lay, lain, lying

l + ie

例：Don't lie to me about your exam scores.
不要對我謊報你的考試成績。

Unit 39

MP3 : R39/S39

1. see [si] 動 看見；了解
s + ee
例：I have never seen such a splendid view before.
我以前從未見過如此壯觀的景象。

動詞變化：see, saw, seen, seeing

I see. 我懂了。

2. watch [watʃ] 名 手錶 動 看；觀賞
wa + tch
例：You should watch this funny TV show!
你應該來看看這個很好笑的電視節目！

動詞變化：watch, watched, watched, watching

3. look [lʊk] 動 看 名 臉色；表情
l + oo + k
例：You look great in the dress.
你穿這件洋裝很好看。

動詞變化：look, looked, looked, looking

look at 片語 看著～
look for 片語 尋找～

4. know [no] 動 知道；了解；認識
kn + ow
例：They have known each other for many years.
他們已經互相認識很多年了。

動詞變化：know, knew, known, knowing

5. think [θɪŋk] 動 想；思考；認為
th + ink
例：What do you think my next book should be about?
你覺得我下本書要寫關於什麼內容？

動詞變化：think, thought, thought, thinking

to think twice 片語 審慎思考

6. want [wɑnt] 動 想要
w + ant
例：The teacher wanted to know which student made the mess.
老師想知道是哪個學生搞出這一團亂。

動詞變化：want, wanted, wanted, wanting

7. enjoy [ɪn`dʒɔɪ] 動 享受；喜歡
en + joy
例：Ricky enjoys eating a bowl of noodles.
瑞奇享受著吃一整碗的麵。

動詞變化：enjoy, enjoyed, enjoyed, enjoying

* en- 字首 使…
* joy 名 歡樂

8. hate [het] 動 痛恨；討厭
h + ate
例：If you hate this movie so much, why are you watching it?
如果你這麼討厭這部電影，你為什麼還要看它？

動詞變化：hate, hated, hated, hating

老師教你記：late 形 晚的

9. like [laɪk] 動 喜歡 介 像

l + i_e + k

例：She likes to eat pumpkin pie for dessert.
她甜點喜歡吃南瓜派。

動詞變化：like, liked, liked, liking

10. wish [wɪʃ] 動 希望 名 願望

w + i + sh

例：I wish I could go swimming.
我希望我能去游泳。

動詞變化：wish, wished, wished, wishing

Best wishes. 祝福你。

11. remember [rɪˋmɛmbɚ] 動 記得

re + member

例：Remember that you must finish your paper before Friday!
記得你得在週五前完成你的報告！

動詞變化：remember, remembered, remembered, remembering

＊member 名 成員；會員

12. forget [fɚˋgɛt] 動 忘記

for + get

例：Sorry, Mom. I forgot to clean the bathroom.
抱歉，媽。我忘了打掃浴室。

動詞變化：forget, forgot, forgot, forgetting

13. guess [gɛs] 動 猜測；猜想

gu + e + ss

例：Can you guess what the answer is?
你能猜猜答案是什麼嗎？

動詞變化：guess, guessed, guessed, guessing

14. need [nid] 動 名 需要；需求

n + ee + d

例：Tell me if you need help fixing your car.
如果你修車需要幫忙，跟我說一聲。

動詞變化：need, needed, needed, needing

15. buy [baɪ] 動 買

例：If you buy three boxes, you get one free.
如果你買三盒，你可以再得到一盒免費的。

動詞變化：buy, bought, bought, buying

Unit 40

MP3：R40/S40

1. **hobby** [ˋhɑbɪ] 名 嗜好

h + o + b + y

例：Collecting stamps is a hobby of mine.
收集郵票是我的嗜好。

> 比一比：habit [ˋhæbɪt] 名 習慣
> hobby [ˋhɑbɪ] 名 嗜好

2. **stamp** [stæmp] 名 郵票 動 (1) 用力踩；(2) 蓋章

st + am + p

例：There is a new stamp with the face of Ruby.
有一款新郵票上面印露比的臉。

3. **card** [kɑrd] 名 (1) 卡片；(2) 名片；(3) 紙牌

car + d

例：It's better to just use your Easy Card to pay for everything.
用悠遊卡付錢很方便。

> card games 名 紙牌遊戲

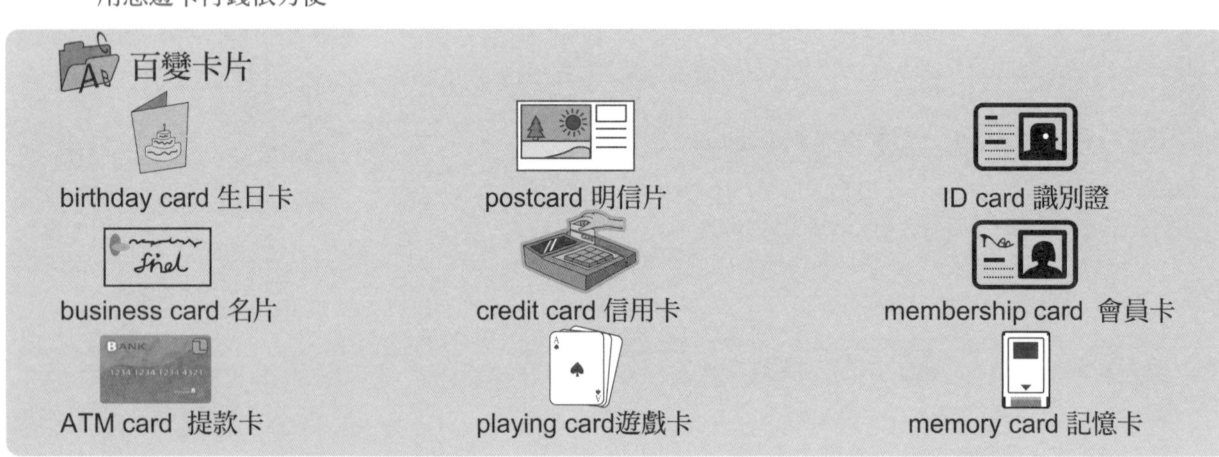

4. **chess** [tʃɛs] 名 棋子；西洋棋

ch + e + ss

例：Sometimes a game of chess can last two hours.
有時一場棋賽會持續兩個小時。

5. **game** [gem] 名 (1) 遊戲；(2) 一局(棋賽、球賽等)

g + a_e + m

例：I lost the game because I couldn't stop the other team.
我因為沒法阻擋另一隊，所以輸了比賽。

6. **puzzle** [ˋpʌzḷ] 名 (1)猜謎；謎題；(2)拼圖

pu + zz + le

例：It takes about one week for me to complete a large puzzle.
拼完一個大拼圖要花我大約一個禮拜的時間。

7. **comic** [ˋkɑmɪk] 名 漫畫 形 有趣滑稽的

com + ic

例：Comic books are more popular now than ever before.
漫畫書現在比以前更普遍。

> come 動 來

8. **novel** [ˋnɑvḷ] 名 小說 形 新奇的

n + o + vel

例：She loves to write mystery novels.
她喜歡寫神秘小說。

9. **ball** [bɔl] 名 球

b + all

例：My little brother likes to play ball.
我小弟喜歡玩球。

10. **balloon** [bəˋlun] 名 汽球

ball + oon

例：Let's blow up the balloons for the birthday party!
我們把汽球吹大來佈置一場生日派對吧！

a hot-air balloon 名 熱氣球

老師教你記：
＊ball 名 球
汽球就像球ball，一次有兩顆oo

11. **toy** [tɔɪ] 名 玩具

t + oy

例：Father bought me a toy for Christmas.
爸爸買了個玩具給我過聖誕。

比一比：toe [to] 名 腳趾
toy [tɔɪ] 名 玩具

12. **doll** [dɑl] 名 玩偶；洋娃娃

d + o + ll

例：Most girls like to play with dolls.
大部分的女孩都喜歡玩洋娃娃。

13. **camera** [ˋkæmərə] 名 照相機

ca + me + ra

例：The expensive camera always takes good pictures.
那台很貴的照相機總是能拍出好照片。

14. **photo** [ˋfoto] 名 照片

ph + oto

例：I really like this photo of you with your boyfriend.
我真的很喜歡這張你和你男朋友的合照。

複數變化：photos

15. **picture** [ˋpɪktʃɚ] 名 圖畫；照片 動 描繪；刻劃；想像

pic + ture

例：This picture shows what I looked like as a baby.
這張照片可以看得出我嬰兒時長什麼樣。

Unit 41

MP3：R41/S41

1. picnic [ˋpɪknɪk] 名 動 野餐

pic + nic

例：Let's bring sandwiches to the picnic.
我們帶三明治去野餐吧。

動詞變化：picnic, picnicked, picnicked, picnicking

to go on a picnic 片語 去野餐

2. camp [kæmp] 動 名 露營；營地

c + am + p

例：I am going to many summer camps this year.
我今年要參加很多夏令營。

動詞變化：camp, camped, camped, camping

老師教你記：lamp 名 枱燈

camp fire 名 營火

3. barbecue [ˋbɑrbɪkju] 名 烤肉

bar + be + cue

例：I am having a barbecue at my house this weekend.
我這週末要在家裡烤肉。

縮寫：B.B.Q.

4. kite [kaɪt] 名 風箏

k + i_e + t

例：Flying a kite is easy when it's windy.
風很大時放風箏很容易。

Go fly a kite! = Go away! 口語 走開！

5. Frisbee [ˋfrɪzbi] 名 飛盤

Fris + bee

例：You can see people throwing Frisbees on the beach.
在海灘你會看到人們在丟飛盤。

飛盤的由來

方便攜帶又好玩的飛盤是很多大人小孩甚至是狗狗也喜愛的休閒運動器材。可是，為什麼飛盤會叫Frisbee，而不是叫 flying dish或 flying plate呢？
原來 Frisbee來自美國一家派餅公司。1930年代，美國康乃迪克州有一間派餅公司名叫Frisbie Bakery，他們生產的派餅下方都有一片錫做的托盤，當地明德學院(Middlebury College)的學生們常常在吃完派後，就把下方的薄錫盤拿來丟著玩，有一位名為佛列德莫里森 (Fred Morrison)的人看到這個被拿來玩的派餅盤，靈機一動，發明出類似派餅盤形狀的飛盤遊戲，後來的製造商就引用派餅公司名字的Frisbie，將它改為Frisbee，做為這種新遊戲器材的名字，從此飛盤運動便快速風行世界各地。

6. jog [dʒɑg] 動 慢跑

j + o + g

例：Jogging for thirty minutes a day is good for your heart.
每天慢跑三十分鐘對你的心臟很好。

動詞變化：jog, jogged, jogged, jogging

7. bike [baɪk] 名 腳踏車、自行車 動 騎腳踏車

b + i_e + k

例：Tom learned to ride a bike when he was five.
湯姆五歲學騎腳踏車。

動詞變化：bike, biked, biked, biking

＊like 動 喜歡
I like to ride a bike.
我喜歡騎腳踏車。

8. **hike** [haɪk] 名 動 遠足；郊遊；登山

h + i_e + k

例：Wear your boots when you go on a hike.
去登山要穿靴子。

go hiking 片語 健行

9. **climb** [klaɪm] 動 攀爬

cl + I + mb [注意]：b不發音

例：Be careful when you climb Jade Mountain.
爬玉山你要很小心。

動詞變化：climb, climbed, climbed, climbing

10. **skate** [sket] 動 溜冰

sk + a_e + t

例：He learned how to skate when he was three years old.
他三歲時就學溜冰了。

skateboard 名 滑板

11. **ski** [ski] 動 滑雪 名 滑雪板

sk + i

例：I love to ski, but it can be dangerous.
我愛滑雪，但它很危險。

動詞變化：ski, skied, skied, skiing

12. **swim** [swɪm] 動 游泳

sw + i + m

例：The dog can swim across the river.
那狗會游泳過河。

動詞變化：swim, swam, swum, swimming

游泳的英文

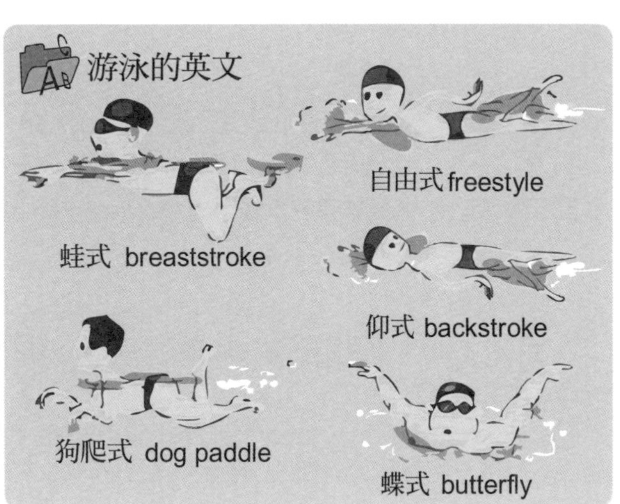

13. **surf** [sɝf] 動 (1) 衝浪；(2) (在網路上)瀏覽

s + ur + f

例：He surfs in Hawaii every summer.
他每年夏天都在夏威夷衝浪。

動詞變化：surf, surfed, surfed, surfing

surfboard 名 衝浪板
surf the Internet 片語 瀏覽網路

14. **travel** [ˋtrævḷ] 名 動 旅遊；旅行

tra + vel

例：I like to travel around the world.
我愛環遊世界。

動詞變化：travel, traveled, traveled, traveling

15. **trip** [trɪp] 名 (短程)旅行 動 絆倒

tr + i + p

例：Tie your shoes, or you will trip.
把鞋帶綁好，不然你會被絆倒。

動詞變化：trip, tripped, tripped, tripping

比一比：Have a nice trip! 旅途愉快
Nice trip! 小心！

Unit 42

1. **run** [rʌn] 動 奔跑

r + u + n

例：I'm so old that I can't run fast anymore.
我太老了沒辦法跑得快。

動詞變化：run, ran, run, running

老師教你記：
＊rain 動 下雨
下雨rain時就要run

2. **race** [res] 名 賽跑；競賽

r + ace

例：Let's have a race to the end of the street.
我們來賽跑到街尾。

＊ace 名 王牌

3. **kick** [kɪk] 動 踢

k + i + ck

例：The little boy kicked the soccer ball hard.
那小男孩用力地踢足球。

動詞變化：kick, kicked, kicked, kicking

sick 名 生病

4. **knock** [nɑk] 動 敲

kn + o + ck [注意]：k不發音

例：Always knock on the door before you enter.
你進入前要先敲門。

動詞變化：knock, knocked, knocked, knocking

lock 動 上鎖

5. **hop** [hɑp] 動 名 跳；單腳跳；(小鳥、蛙等)齊足跳躍

h + o + p

例：Little children hopped around happily on the playground.
小孩子們在遊樂區裡開心地跳來跳去。

動詞變化：hop, hopped, hopped, hopping

grasshopper 名 蚱蜢

6. **jump** [dʒʌmp] 動 名 跳躍

j + u + m + p

例：George can jump very high, so he plays volleyball.
喬治可以跳很高，所以他打排球。

動詞變化：jump, jumped, jumped, jumping

jump rope 名 跳繩

7. **get** [gɛt] 動 得到；變得

g + e + t

例：Let's just get some food, and then get out of here.
我們去拿點食物，然後離開這裡。

動詞變化：get, got, got, getting

8. **take** [tek] 動 名 拿；攜帶

t + a_e + k

例：All of us took a piece of cake.
我們全部都拿了一片蛋糕。

動詞變化：take, took, taken, taking

9. bring [brɪŋ] 動 帶來，拿來

b + ring

例：Mary forgot to bring her wallet, so she borrowed some money.
瑪莉忘了帶皮夾，所以她去借了點錢。

動詞變化：bring, brought, brought, bringing

＊ring 名 戒指

10. carry [ˋkærɪ] 動 (隨身)帶著

c + a + rry

例：My wife always carries many things home from the market.
我太太總是從市場帶回很多東西。

動詞變化：carry, carried, carried, carrying

比一比：
- get：指取得、拿過來
- take：指拿取，但不特別是拿給誰或是放在誰身上。
- bring：強調帶來
- carry：強調帶在身上

11. catch [kætʃ] 動 抓；捕

cat + ch

例：Can you catch the ball?
你能接得到球嗎？

動詞變化：catch, caught, caught, catching

＊cat 名 貓

12. throw [θro] 動 投；擲

th + row

例：Don't throw food at your brother!
不要把食物往你哥哥身上丟！

動詞變化：throw, threw, thrown, throwing

13. put [put] 動 放置；擺置

pu + t

例：Just put the food on the table.
把食物放到餐桌上。

動詞變化：put, put, put, putting

14. pull [pul] 動 名 拉；扯

pu + ll

例：Just pull the door to open it.
用拉的就可以開這扇門。

動詞變化：pull, pulled, pulled, pulling

15. push [puʃ] 動 名 推；按

pu + sh

例：Please push the button if you want to get off the bus.
如果你要下公車，請按鈴。

動詞變化：push, pushed, pushed, pushing

Unit 43

MP3：R43/S43

1. **exercise** [ˋɛksɚˏsaɪz] 名 (1)運動(不可數名詞)；(2)練習題(可數名詞) 動 運動

ex + er + cise

例：You should exercise to stay healthy.
你要運動保持健康。

動詞變化：exercise, exercised, exercised, exercising

to take exercise 片語 做運動

2. **sport** [sport] 名 (球類)運動

sp + or + t

例：Jesse plays a different sport every day.
傑西每天都打不同的球類運動。

＊ port 名 港口

sports car 名 跑車

3. **team** [tim] 名 隊伍；團隊

t + ea + m

例：The basketball team has lost only one game this year.
這個籃球隊今年只輸了一場球。

＊ tea 名 茶

teamwork 動 團隊合作

on the school team 片語 參加校隊

4. **badminton** [ˋbædmɪntən] 名 羽毛球

bad + mint + on

例：Badminton is more popular than tennis in this country.
在這個國家，羽毛球比網球受歡迎。

＊ bad 形 壞的
＊ mint 名 薄荷
＊ on 介 上面

伯明頓來的Badminton

羽毛球的前身最早是一種板球遊戲，它是以木板來拍打球，使球不落地。這種遊戲已有千年以上的歷史，最早流傳於希臘，後來在東、西方許多國家都可以看得到類似的玩法，而板子也由原本的木板，漸漸演進到用羊皮綁緊做球拍，或是網子拉緊做球拍，以增加球的彈性。

19世紀時，這個遊戲在駐印度的英國官兵之間流行了起來，而且慢慢演變成一種運動模式，他們以當地的地名浦那(Poona)來稱呼這種運動。隨著英軍返國，英國人也將這種運動帶回英國。到了1873年，在伯明頓莊園 (Badminton House) 正式舉行了第一場羽毛球的公開比賽，之後，人們便將這項活動稱為「伯明頓比賽(The Game of Badminton)」。

而隨著羽毛球運動的普及，後來大家就乾脆用當地的地名Badminton來稱呼這項運動了。

5. **bowling** [ˋbolɪŋ] 名 保齡球

bowl + ing

例：Bowling is a great sport to play when it's raining outside.
外面在下雨時，打保齡球是很棒的運動。

＊ bowl 名 碗

6. **base** [bes] 名 (1) 基礎；(2) 基地；(3) 壘包

b + a_e + s

例：After the hard hit, he ran to second base.
在猛力一擊後，他跑到了二壘。

7. **baseball** [ˋbesˏbɔl] 名 棒球

base + ball

例：I love to play baseball, but I can't find enough people to play a game.
我喜歡打棒球，但我找不到足夠的人一起打。

＊ base 名 壘包
＊ ball 名 球

8. **basket** [ˋbæskɪt] 名 籃子

b + a + sk + et

例：The children took candy from the basket on the ground.
那孩子從地上的籃子裡拿糖果。

9. **basketball** [ˋbæskɪt͵bɔl] 名 籃球

basket + ball

例：It's easier for tall people to play basketball.
高個兒的人打籃球比較輕鬆。

＊ basket 名 籃子
＊ ball 名 球

10. **dodge ball** [dɑdʒ] [bɔl] 名 躲避球

d + o + dge + ball

例：Some people think that dodge ball is a dangerous game.
有些人認為躲避球是危險的遊戲。

＊ dodge 動 閃避；躲開
＊ ball 名 球

11. **football** [ˋfut͵bɔl] 名 (1) 足球；(2) 美式足球

foot + ball

例：American football is a violent game.
美式足球是很暴力的比賽。

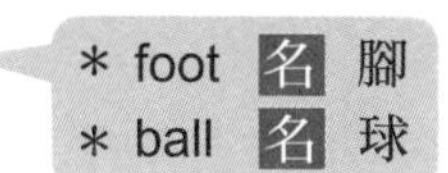

12. **soccer** [ˋsɑkɚ] 名 足球

s + o + cc + er

例：You must have strong legs to play soccer every day.
你一定要有一雙強壯的雙腿才能每天踢足球。

13. **golf** [gɑlf] 名 高爾夫

go + lf

例：Only the rich can afford to play golf.
只有有錢人才打得起高爾夫。

14. **tennis** [ˋtɛnɪs] 名 網球

ten + nis

例：There is not enough space to play tennis on our playground.
我們的操場沒有足夠空間可以打網球。

table tennis 名 桌球

15. **volleyball** [ˋvɑlɪ͵bɔl] 名 排球

volley + ball

例：A volleyball net is eight feet high.
排球網有八英尺高。

＊ volley 動 (網球的)截擊
＊ ball 名 球

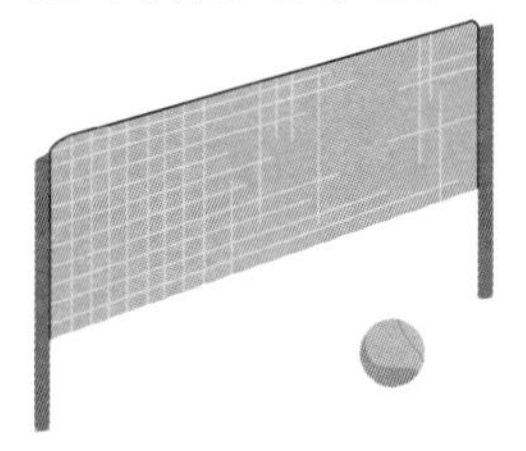

Unit 44

MP3 : R44/S44

1. music [ˋmjuzɪk] 名 音樂

mus + ic

例：Classical music makes me feel relaxed.
古典音樂讓我放鬆。

＊ Muse (希臘) 繆思女神

classical music 名 古典音樂

2. piano [pɪˋæno] 名 鋼琴

pia + no

例：I have been practicing piano since I was five.
我五歲開始就在練鋼琴了。

3. drum [drʌm] 名 鼓 動 擊鼓

dr + u + m

例：You can't play the drums in this building; it's too loud!
你不能在這棟建築物裡打鼓，它太大聲了。

動詞變化：drum, drummed, drummed, drumming

drumstick 名 (1)鼓棒；(2)雞腿

4. flute [flut] 名 長笛

fl + u_e + t

例：This song sounds more beautiful when you add the flute.
你把長笛加入這首歌後，它聽起來更美了。

＊ -flu- 字根 流動

5. guitar [gɪˋtɑr] 名 吉他

gui + tar

例：Many children are learning how to play the electric guitar.
許多孩子在學彈電吉他。

sitar 名 西塔琴(中亞的一種弦樂器)

6. violin [ˏvaɪəˋlɪn] 名 小提琴

vio + lin

例：I often play the violin when I feel sad.
我常在感到難過時拉小提琴。

play的用法

play當動詞時可以表示(1)玩、(2)彈奏(樂器)、(3)打(球)、(4)下(棋)。不過，不同的活動，play的表達會有點差別：

(1) play + 遊戲、棋藝 = 玩～遊戲，如：play on-line games, play chess

(2) play + 球類運動 = 打～球，如：play baseball, play soccer

(3) play + the + 樂器 = 彈奏～樂器，如：play the piano, play the violin

因為遊戲、棋藝和球類運動，是play它的過程，而不會因為從木頭棋盤換成塑膠棋盤就不能play，或是換一顆棒球就不能玩，所以play後面「不用」接定冠詞the，如果加了the，就像是拿一顆特定的棋子在把玩，或是拿一顆特定的棒球摸來摸去，而不是在「下棋」或「打棒球」了。

但彈奏樂器就是在play手上的這個樂器，它是特定的「這一個」，所以彈奏樂器時，play的後方要接the再接樂器名稱。

7. **jazz** [dʒæz] 名 爵士樂
j + a + zz
例：Jazz was very popular in the 1920s.
爵士樂在1920年代很流行。

8. **dance** [dæns] 動 名 跳舞；舞蹈
d + a + n + ce
例：Do you like dancing?
你喜歡跳舞嗎？

Care to dance? = Would you care to dance?
願意和我跳支舞嗎？

9. **sing** [sɪŋ] 動 唱
s + ing
例：I hear Father singing in the bathroom every night.
我每天晚上都聽到爸爸在浴室唱歌。

動詞變化：sing, sang, sung, singing

10. **song** [sɔŋ] 名 歌曲
s + ong
例：I always cry when I hear this song.
我每次聽到這首歌都會哭。

long 形 長的

11. **band** [bænd] 名 (1)樂團；(2)條狀物；(3)長帶子；(4)河岸
b + and
例：There are five members of this band.
這個樂團有五名成員。

12. **drama** [ˋdrɑmə] 名 戲劇
dr + ama
例：My favorite drama is on at ten o'clock on Friday night.
我最愛的那齣劇在每週五晚上十點播出。

老師教你記：媽媽(mama)，媽媽最愛看drama

13. **movie** [ˋmuvɪ] 名 電影
mov + ie
例：I haven't seen the new Harry Potter movie yet.
我還沒看過那部新的哈利波特電影。

* move 動 移動

14. **film** [fɪlm] 名 膠捲、底片；電影 動 拍電影
f + il + m
例：It costs twenty million dollars to make this film.
拍這部電影要花二千萬。

動詞變化：film, filmed, filmed, filming

15. **cartoon** [kɑrˋtun] 名 卡通
car + t + oo + n
例：Only small children watch this cartoon.
只有小小孩才看這部卡通。

Unit 45

MP3 : R45/S45

1. **begin** [bɪˋgɪn] 動 開始
   be + gin
   例：The movie just began, so you didn't miss anything.
   電影才剛開始，所以你沒有錯過任何東西。

   動詞變化：begin, began, begun, beginning

2. **start** [stɑrt] 動 名 開始
   star + t
   例：Let's start this game now!
   我們現在開始玩遊戲吧！

   動詞變化：start, started, started, starting

   ＊ star 名 明星

3. **break** [brek] 動 打破；違背；中斷 名 休息
   br + ea + k
   例： I broke my watch when I was playing football.
   我打美式足球時弄壞了我的手錶。

   動詞變化：break, broke, broken, breaking

   bread 名 麵包

4. **become** [bɪˋkʌm] 動 變成；變得
   be + come
   例：One day, I hope to become a soccer player.
   總有一天，我希望能變成一位足球選手。

   動詞變化：become, became, become, becoming

   ＊ come 動 來

5. **basic** [ˋbesɪk] 形 基本的
   bas + ic
   例：People have basic needs like clothes, food, and shelter.
   人有基本的需求，像是衣服、食物和可以遮風避雨的地方。

   ＊ base 名 壘包；基礎

6. **same** [sem] 形 一樣的；相同的
   s + a_e + m
   例：You shouldn't fight each other. You're on the same team!
   你們彼此不應該吵架。你們是同一隊的！

   Sam (男子名)山姆

7. **easy** [ˋizɪ] 形 容易的；簡單的
   ea + sy
   例：It's not easy to become a doctor.
   要成為一位醫生很不容易。

8. **difficult** [ˋdɪfə͵kəlt] 形 困難的；費力的
   diff + i + cult
   例：It's difficult to imagine life without the Internet.
   很難想像沒有網路的生活。

   老師教你記：
   cut 動 切
   很難切、切東西很費力

9. different [ˋdɪfərənt] 形 不同的；不一樣的

diff + er + ent

例：My father and mother were born in different countries.
我爸爸和媽媽是在不同國家出生的。

＊differ 動 相異；有區別

10. great [gret] 形 很好的；偉大的

gr + eat

例：I think it's great that you love to exercise so much.
我覺得你喜歡運動真的是很棒。

11. fair [fɛr] 形 公平的；晴朗的 名 市集，露天遊樂場

f + air

例：It's not fair to ask some workers to stay late while others go home early.
要一些員工留到很晚而其它人可以先回家是不公平的。

老師教你記：
＊air 名 空氣
每個人都可以呼吸空氣，很公平

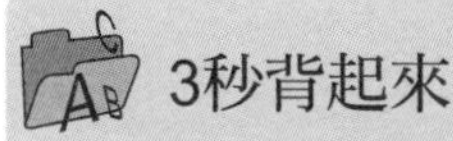

3秒背起來

air是空氣，長得很像的字還有：fair(1.公平的2.亮麗的)，hair(頭髮)，chair(椅子)，這幾個字可以一起背哦！
＊有著亮麗秀髮的美女坐在椅子上呼吸空氣：fair → hair → chair → air

12. free [fri] 形 (1) 免費的；(2) 自由的

fr + ee

例：If you buy three bottles of Coke, you will get one for free.
如果你買三瓶可樂，你可以免費再拿一瓶。

13. lucky [ˋlʌkɪ] 形 幸運的

luck + y

例：I was lucky to win the game, because I'm not good at all.
我很幸運能贏得比賽，因為我一點都不厲害。

14. safe [sef] 形 安全的 名 保險箱

s + a_e + f

例：I don't think that this neighborhood is safe anymore.
我不再認為這個社區是安全的了。

Better safe than sorry.
諺語 小心總比後悔好。

15. dangerous [ˋdendʒərəs] 形 危險的

danger + ous

例：Tigers are too dangerous for people to keep as pets.
人們養老虎當寵物是很危險的。

＊danger 名 危險
＊-ous 字尾 形容詞字尾，表「充滿～的」

anger 名 憤怒

Unit 46

MP3：R46/S46

1. **flower** [ˋflauɚ] 名 花

fl + ow + er

例：You should get your mother some flowers for Mother's Day.
母親節你應該要買些花給你媽媽。

2. **rose** [roz] 名 薔薇；玫瑰

nose 名 鼻子

r + o_e + s

例：Red roses are romantic.
紅玫瑰很浪漫。

3. **honey** [ˋhʌnɪ] 名 (1) 蜂蜜；(2) 甜心

h + on + ey

例：I like to put a little honey on my toast.
我喜歡在我的吐司上放一些蜂蜜。

4. **seed** [sid] 名 種子

＊ see 動 看

see + d

例：If you plant a seed, it will grow if you give it water and sunlight.
如果你種下一顆種子，只要你澆水並給它陽光，它就會生長。

5. **grass** [græs] 名 草；草坪

＊ ass 名 屁股

gr + ass

例：I have to cut the grass at my house once a week.
我每週要為我家的草坪除一次草。

6. **ground** [graund] 名 地上；(戶外)土地

＊ round 名 圓形

playground 名 操場；兒童遊戲區

g + round

例：The leaves fall to the ground in October.
十月時樹葉會掉落地面。

7. **tree** [tri] 名 樹

tr + ee

例：I have an apple tree in my back yard.
我家後院有一棵蘋果樹。

8. **leaf** [lif] 名 葉子

複數變化：leaves

l + ea + f

例：The leaves are blowing around in the wind.
樹葉被風吹得到處飄。

9. ant [ænt] 名 螞蟻

an + t

例：Fire ants can cause a lot of pain when they bite you.
火蟻咬到你時會很痛。

and 連 和…

10. snail [snel] 名 蝸牛

s + nail

例：I like snails in my soup.
我喜歡我湯裡的蝸牛。

* nail 名 (1)指甲 (2)釘子

a snail mail 口語 慢速郵件、超慢郵件

11. bee [bi] 名 (1) 蜜蜂 (2) 競賽

b + ee

例：Bees can help us by making honey.
蜜蜂能幫我們釀蜜。

spelling bee
拼字比賽

12. butterfly [ˋbʌtɚ͵flaɪ] 名 蝴蝶

butter + fly

例：Butterflies have beautiful, colored wings.
蝴蝶有美麗多彩的翅膀。

* butter 名 奶油
* fly 名 蒼蠅 動 飛

13. spider [ˋspaɪdɚ] 名 蜘蛛

sp + i_e + d + er

例：Spiders may look ugly, but they eat other bugs.
蜘蛛雖然看起來很醜，但牠們會吃其它蟲子。

Spiderman (電影名) 蜘蛛人

14. frog [frɑg] 名 青蛙

fr + o + g

例：Frogs like to eat insects.
青蛙喜歡吃昆蟲。

15. snake [snek] 名 蛇

sn + a_e + k

例：The snake wrapped its body around the little mouse.
那蛇用身體纏繞著一隻小老鼠。

Unit 47

1. **mouse** [maus] 名 (1) 老鼠；(2) (電腦用語)滑鼠

m + ou + se

例：If you want to catch a mouse, put some cheese on the floor.
如果你想抓老鼠，在地板上放些起司。

> mouse potato 沉迷於用電腦的人

2. **rat** [ræt] 名 (1) 大型老鼠；(2) 鼠輩，叛徒

r + a + t

例：I saw a rat running into the closet!
我看到一隻老鼠跑進衣櫃裡！

3. **bat** [bæt] 名 (1) 球棒；(2) 蝙蝠

> Batman (電影人物名) 蝙蝠俠

b + a + t

例：Use a bat to hit the baseball.
用球棒去打棒球。

例：Bats are mammals, not insects.
蝙蝠是哺乳類動物，不是昆蟲。

4. **insect** [ˋɪnsɛkt] 名 昆蟲

in + sect

例：I think that insects look disgusting.
我覺得昆蟲看起來很噁心。

5. **bug** [bʌg] 名 小蟲子

> but 連 但是

b + u + g

例：My sister is scared to look at any bugs.
我妹妹看到任何小蟲子都會怕。

> 老師教你記：
> ＊cock 名 公雞
> ＊road 名 馬路
> 公雞(cock)在馬路(road)上吃(ch)蟑螂

6. **cockroach** [ˋkɑk͵rotʃ] 名 蟑螂

cock + roach

例：You can see a lot of cockroaches at the dirty restaurant down the street.
你在那間街尾的骯髒餐廳可以看到很多蟑螂。

7. **mosquito** [məsˋkito] 名 蚊子

> musca (拉丁文) 飛

mos + qui + to

例：I can't sleep when there are many mosquitoes in my room.
有許多蚊子在我房間，我沒辦法睡覺。

8. **worm** [wɝm] 名 蟲

> 比一比：worm [wɝm] 名 蟲
> warm [wɔrm] 名 暖身

w + or + m

例：If you look in the dirt, you can see some worms.
如果你盯著土看，你會看到一些蟲。

9. **tail** [tel] 名 尾巴

t + ai + l

例： The little girl pulled the cat's tail.
那小女孩拉那隻貓的尾巴。

10. **wing** [wɪŋ] 名 翅膀

w + ing

例：The butterfly's wings are bright blue.
那蝴蝶的翅膀是亮藍色的。

wind 形 風

11. **nest** [nɛst] 名 巢；窩；穴

n + e + st

例：There is a bird's nest in a tree in my back yard.
我家院子裡的一棵樹上有一個鳥巢。

next 形 下一個的

12. **bark** [bɑrk] 動 (狗) 吠叫

b + ar + k

例：My neighbor's dog just barked all night.
我鄰居家的狗叫了一整晚。

動詞變化：bark, barked, barked, barking

13. **bite** [baɪt] 動 咬 名 咬一口

b + i_e + t

例：Be careful! Sometimes my cat will bite.
小心！我的貓有時會咬人。

動詞變化：bite, bit, bitten, biting

14. **kill** [kɪl] 動 殺；殺死

k + ill

例：The hunter killed the deer with one shot.
那獵人一槍就殺死了那頭鹿。

動詞變化：kill, killed, killed, killing

kiss 動 親吻

15. **blood** [blʌd] 名 血

bl + oo + d

例：I lost a lot of blood when I cut my hand with a knife.
我用刀子切到手時流了很多血。

Unit 48

MP3：R48/S48

1. pet [pɛt] 名 寵物

p + e + t

例：I have two pets, a dog and a cat.
我有兩隻寵物，一隻狗和一隻貓。

a teacher's pet
口語 愛打小報告、討老師歡心的人

2. dog [dɔg] 名 狗

d + o + g

例：I always see that old dog sleeping under a tree.
我總是看到那隻老狗在樹下睡覺。

3. cat [kæt] 名 貓

c + a + t

例：Cats like to drink milk.
貓愛喝牛奶。

to rain cats and dogs
口語 下傾盆大雨

4. puppy [ˋpʌpɪ] 名 小狗

pu + pp + y

例：The puppy barked and ran around happily.
那小狗一邊叫一邊開心地跑來跑去。

puppy love （小孩子的）小戀愛

5. bird [bɝd] 名 鳥

b + ir + d

例：The man's pet bird climbed up onto his shoulder.
那男人的寵物鳥爬上了他的肩膀。

bird-watching 名 賞鳥

6. rabbit [ˋræbɪt] 名 兔子

ra + bb + it

例：The rabbits all like to eat the vegetables in my garden.
兔子們很愛吃我花園裡的蔬菜。

7. hen [hɛn] 名 母雞

h + e + n

例：The hen sits on her eggs until they hatch.
母雞坐在蛋上直到它們孵出來。

pen 名 筆
rooster 名 公雞
henpeck 動 老婆對先生嘮叨不休

8. duck [dʌk] 名 鴨；鴨肉

d + u + ck

例：Don't feed the ducks at this pond!
不要餵這個池塘裡的鴨子！

9. goose [gus] 名 鵝

g + oo + se

例：The Canadian geese made loud sounds as they flew overhead.
加拿大雁在飛過頭頂時會發出很大的叫聲。

＊good 形 好的

複數變化：geese

10. turkey [ˋtɝkɪ] 名 火雞；火雞肉

t + ur + key

例：Most Americans eat turkey at Thanksgiving dinner.
大部分的美國人在感恩節晚餐吃火雞。

Turkey 名 (國名)土耳其

11. swan [swɑn] 名 天鵝

sw + an

例：The swan swam slowly through the water.
那天鵝慢慢地游過水面。

swim 動 游泳

Swan Lake 天鵝湖

12. sheep [ʃip] 名 綿羊(單複同形)

sh + ee + p

例：We used to make our clothes from sheep's wool.
我們曾用綿羊毛做衣服。

13. pig [pɪg] 名 豬

例：The pigs just keep eating and eating all the food.
豬兒們一直在吃東西。

to pig out on + 食物 口語 大吃大喝

小豬撲滿－Piggy Bank

小朋友和大朋友們，在家裡應該都有存零錢的小撲滿吧！這個小撲滿常常會做成小豬的形狀，而它的英文真的就叫做piggy bank，為什麼會和豬有關呢？
原來在中古時期，歐洲人常會將錢財放在家中隱密又不易被人找到的角落，最隱密的，當然就是放了一堆瓶罐鍋碗的廚房，當時有一種用來燒製鍋碗瓢盆的橙色陶土，叫做pygg，用它做成的容器就稱為pygg jar，也是人們最常拿來存放錢財的地方。
到了18世紀時，pygg jar被譯成了pig jar，當時市面上也開始出現專門存放銅板的容器，並且還設計成小豬的形狀，從此，pig bank、piggy bank便逐漸成為撲滿的代名詞。

14. cow [kaʊ] 名 乳牛；母牛

c + ow

例：The farmer wakes up early to milk the cows.
農夫早起去擠牛奶。

cowboy 名 牛仔
a cash cow 口語 搖錢樹

15. horse [hɔrs] 名 馬

h + or + se

例：All cowboys must know how to ride a horse.
所有的牛仔都要知道如何騎馬。

hoarse 形 聲音沙啞的

Unit 49

MP3 : R49/S49

1. animal [ˋænəm!] 名 動物

ani + mal

例：You must be careful when you're around animals.

你在動物旁邊時要很小心。

動物 v.s. 動畫

大人小孩都愛看的「動物」，英文叫做animal。
大人小孩都愛看的「動畫」，英文叫做animation。
這兩個字有沒有長得很像呢？
animal這個字來自拉丁文animalis，意思指「有呼吸的」，後來就衍生出泛指一切會呼吸的生物－「動物」的字義了。
animation則來自另一個拉丁字anima，意思指「活力的原理」，後來也指「靈魂、生命」
原來，這兩個字裡都有一個很重要的拉丁字根叫做-anim-，這個字根的意思是指「呼吸、氣息」，會呼吸的東西，就是動物animal；而將靈魂、生命加到原本不會動的物體上(如：圖畫)，讓物體看起來生氣勃勃、就像有生命一樣，也就是動畫animation。

2. bear [bɛr] 名 熊 動 忍受；生育；生產

b + ear

例：There are some bears living in that forest.

那座森林裡有幾隻熊。

動詞變化：bear, bore, born, bearing

＊ear 名 耳朵

3. deer [dɪr] 名 鹿

d + ee + r

例：Sometimes, deer just walk right in front of speeding cars on the road.

有時鹿走在路上會碰上正急速行駛的車子。

老師教你記：
比一比：deer 名 鹿
dear 形 親愛的
看到鹿see deer；dear裡有ear，講親密的話耳朵要靠過來。

4. monkey [ˋmʌŋkɪ] 名 猴子

mon + key

例：Monkeys love jumping around in the trees.

猴子喜歡在樹上跳來跳去。

5. donkey [ˋdɑŋkɪ] 名 驢

don + key

例：The poor man rode on his donkey to the market.

那可憐的男人騎著他的驢上菜市場。

？腦筋急轉彎
Q：哪些動物有帶鑰匙？
A：(答案在最下面。)

6. eagle [ˋig!] 名 老鷹

ea + gle

例：Eagles fly high above this field, looking for small animals to eat.

老鷹飛離地面很高，以便尋找小動物來吃。

7. elephant [ˋɛləfənt] 名 大象

ele + ph + ant

例：If an elephant gets angry, you should stay away.

如果大象生氣了，你應該要離遠點。

elegant 形 優雅的
老師教你記：
eleven → elegant → elephant
(11) (優雅的) (大象)

腦筋急轉彎解答：有帶鑰匙(key)的動物有 猴子(monkey)、驢子(donkey)、火雞(turkey)，還有米老鼠，因為米老鼠叫做Mickey。

8. ox [ɑks] 名 牛

o + x

例：The ox pulls the plow for the farmer.
那牛幫農夫拉犁耕田。

9. fox [fɑks] 名 狐狸；狡猾的人

f + ox

例：A fox was hiding in the bushes, waiting for a rat.
一隻狐狸躲在樹叢裡等待老鼠出現。

10. hippo [ˋhɪpo] 名 河馬

* hip 名 屁股

hip + po

例：Hippos enjoy taking a bath in the river.
河馬喜歡在河裡泡澡。

11. tiger [ˋtaɪgɚ] 名 老虎

Tigger (卡通人物名)跳跳虎

t + i_e + g + er

例：The tiger hid in the tall grass, waiting for its chance to jump on a boar.
老虎躲在高高的草叢裡，等待跳上野豬。

12. lion [ˋlaɪən] 名 獅子

li + on

例：Female lions hunt for food together.
母獅子會一起狩獵。

13. pigeon [ˋpɪdʒɪn] 名 鴿子

* pig 名 豬

pig + eon

例：The old man put bread crumbs on the ground to feed the pigeons.
那老先生在地上放了一些麵包屑餵鴿子。

14. swallow [ˋswɑlo] 名 燕子 動 吞下；嚥下

動詞變化：swallow, swallowed, swallowed, swallowing

* wall 名 牆壁

s + wall + ow

例：My father swallowed a hair and coughed hard.
我爸吞了一根頭髮然後不停地咳嗽。

15. zebra [ˋzibrə] 名 斑馬

ze + bra

例：The zebras in the zoo were all eating grass.
動物園裡的斑馬都在吃草。

Unit 50

MP3：R50/S50

1. parrot [ˋpærət] 名 鸚鵡

p + arrot

例：The parrot just repeated everything I said.
鸚鵡重複說我講的每件事。

carrot 名 胡蘿蔔

2. goat [got] 名 山羊

g + oa + t

例：The mountain goat just ate grass all day long.
高山山羊整天都在吃草。

coat 名 大衣；外套

3. kangaroo [ˏkæŋgəˋru] 名 袋鼠

kan + ga + roo

例：Kangaroos just hop around all day.
袋鼠整天都在跳來跳去。

4. koala [koˋɑlɑ] 名 無尾熊

koa + la

例：You can only find wild koalas in Australia.
你只能在澳洲發現野生的無尾熊。

5. panda [ˋpændə] 名 熊貓

pan + da

例：Some cute pandas live in the Taipei Zoo.
台北動物園裡住著一些可愛的貓熊們。

* pan 名 平底鍋

6. lamb [læm] 名 小羊；羔羊

l + am + b [注意]：b不發音

例：I think lamb tastes better than all the other meats.
我覺得羔羊嚐起來比所有其它肉類都還要美味。

7. wolf [wʊlf] 名 狼

w + ol + f

例：The pack of wolves just waited until their best chance to attack.
一群狼等著發動攻擊的最佳機會。

a wolf in sheep's clothing 片語 披著羊皮的狼

to cry wolf 片語 放羊的孩子

8. dinosaur [ˋdaɪnəˏsɔr] 名 恐龍

dino + saur

例：Millions of years ago, dinosaurs ruled the world.
數百萬年前，恐龍統治世界。

縮寫：dino

9. dragon [ˋdrægən] 名 龍

dra + gon

例：Most people don't believe that dragons were real.
大部分的人都不相信龍是真的。

10. monster [ˋmɑnstɚ] 名 怪物

mon + ster

例：Children are afraid that monsters live in their houses.
孩子們很害怕怪獸就住在他們家。

老師教你記：
* Monday = Mon. 名 星期一
* sister 名 姊姊
星期一姊姊變怪物，很可怕

11. dolphin [ˋdɑlfɪn] 名 海豚

dol + ph + in

例：Scientists say dolphins can talk with one another.
科學家說海豚會彼此交談。

* doll 名 洋娃娃

12. shark [ˋʃɑrk] 名 鯊魚

sh + ar + k

例：Be careful of sharks when swimming in the ocean.
在海裡游泳時要小心鯊魚。

13. turtle [ˋtɝtl̩] 名 海龜

t + ur + tle

例：Huge turtles walk so slowly!
大海龜走得好慢！

Ninja Turtle (卡通名) 忍者龜

比一比：海龜與陸龜
海龜靠鰭肢划水前進；陸龜有爪，可行走。

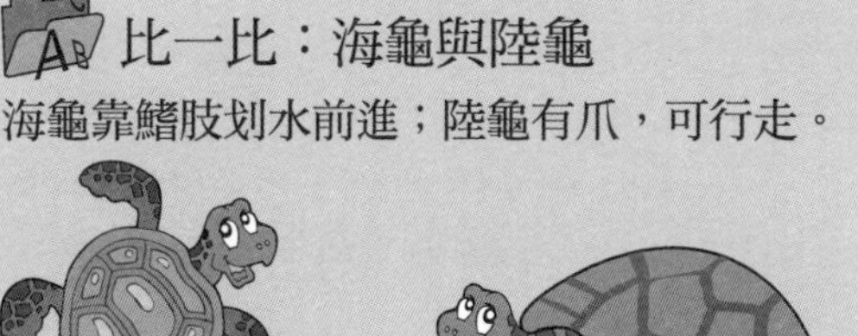

turtle 海龜　　tortoise 陸龜

14. whale [hwel] 名 鯨

wh + a_e + l

例：You are not allowed to kill most types of whales
你們不准殺大部分種類的鯨魚。

15. crab [kræb] 名 蟹

cr + a + b

例：I would like to eat the crab salad, please.
我想吃蟹肉沙拉。

Mr. Krab (卡通人物名) 蟹老闆

部首1

名詞字尾-er/-or(1)

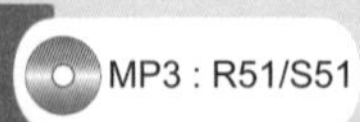

名詞字尾 -er / -or表示「做…的人」，有時也可以指「物品」

[注意]：(1) 動詞的最後結尾是-er，表示做該動作的人或物品。

(2) 動詞的最後結尾是-ct, -ate, -it, -ess時，常用字尾-or表做該動作的人。

1. sing + -er = singer

sing [sɪŋ] 動 唱歌

singer [ˋsɪŋɚ] 名 歌手

例：The singer sings the song beautifully.

那名歌手優美地演唱那首歌。

2. write +-er = writer

write [raɪt] 動 寫

writer [ˋraɪtɚ] 名 作家；作者

例：Who is the writer of Harry Potter?

哈利波特的作者是誰？

3. direct + -or = director

direct [dəˋrɛkt] 動 指導

director [dəˋrɛktɚ] 名 指揮者；導演

例：Ang Lee is my favorite movie director.

李安是我最喜愛的電影導演。

4. visit + -or = visitor

visit [ˋvɪzɪt] 動 拜訪

visitor [ˋvɪzɪtɚ] 名 訪問者；觀光者

例：Millions of visitors visit this island every year.

每年都有上百萬名遊客造訪這座島嶼。

5. act + -or = actor

act [ækt] 動 演戲

actor [ˋæktɚ] 名 演員

例：James is a famous Bollywood actor.

詹姆士是位知名寶萊塢演員。

Hollywood是美國電影工業重鎮「好萊塢」，而Bollywood則是在印度孟買，近幾年來孟買當地電影工業發展迅速，因而有人將該地區出產的影片稱為「Bollywood(寶萊塢)」，牛津字典裡也查得到這個字哦！

部首2

名詞字尾-er/-or(2)

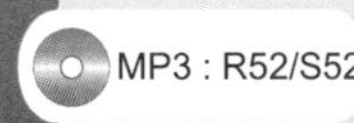

名詞字尾 -er / -or表示「做...的人」，有時也可以指「物品」

[注意]：(1) 動詞的最後結尾是-er，表示做該動作的人或物品。

(2) 動詞的最後結尾是-ct, -ate, -it, -ess時，常用字尾-or表做該動作的人。

1. draw + -er = drawer

draw [drɔ] 動 (1)拉出，抽出；(2)畫圖

drawer [ˋdrɔɚ] 名 (1)畫家；(2)抽屜

例：I put my drawings in the drawer.

我把我的圖畫放在抽屜裡。

2. speak + -er = speaker

speak [spik] 動 說話

speaker [ˋspikɚ] 名 (1) 說話者；演說家；(2) 擴音器

例：They broadcast the song through a speaker.

他們用擴音喇叭播放該首歌曲。

3. freeze+ -er = freezer

freeze [friz] 動 使冷凍；結冰

freezer [ˋfrizɚ] 名 冷凍庫；冷凍櫃

例：Mom put all the meat and fish in the freezer.

媽媽把所有的肉和魚放到冷凍庫裡去。

部首3

名詞字尾-ess

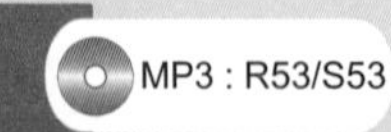

名詞字尾 -ess 表示「做...的女生」

[比較]：字尾-er/-or，表示「做...的人(男生)」

1. act + -ess = actress

actor [ˋæktɚ] 名 演員

actress [ˋæktrɪs] 名 女演員

例：Ruby won the best actress of the year.
露比贏得年度最佳女演員。

2. wait + -ess = waitress

waiter [ˋwetɚ] 名 服務生

waitress [ˋwetrɪs] 名 女服務生

例：I asked the waitress for some water.
我向那女服務生要一些水。

3. tiger + -ess = tigress

tiger [ˋtaɪgɚ] 名 老虎

tigress [ˋtaɪgrɛs] 名 母老虎；兇悍的女生

例：She could be a real tigress when she got angry.
她生氣時會變成一隻母老虎。

男 生				女 生			
actor	[ˋæktɚ]	名	演員	actress	[ˋæktrɪs]	名	女演員
waiter	[ˋwetɚ]	名	服務生	waitress	[ˋwetris]	名	女服務生
prince	[prɪns]	名	王子	princess	[ˋprɪnsɪs]	名	公主；王妃
host	[host]	名	主人	hostess	[ˋhostɪs]	名	女主人
god	[gɑd]	名	神	goddess	[ˋgɑdɪs]	名	女神
tiger	[ˋtaɪgɚ]	名	老虎	tigress	[ˋtaɪgrɛs]	名	母老虎

部首4

名詞字尾-ist

名詞字尾 -ist 表示「做...的專家」

1. art + -ist = artist

art [ɑrt] 名 藝術
artist [ˋɑrtɪst] 名 藝術家
例：Picasso is one of my favorite artists.
畢卡索是我最喜愛的藝術家之一。

2. dent + -ist = dentist

dent [dɛnt] 名 齒
dentist [ˋdɛntɪst] 名 牙醫
例：I had an appointment with my dentist at three.
我和我的牙醫三點有約。

3. special + -ist = specialist

special [ˋspɛʃəl] 名 特別的東西
形 特別的
specialist [ˋspɛʃəlɪst] 名 專家
例：Mark is a specialist in antiques.
馬克是古董方面的專家。

4. science + -ist = scientist

science [ˋsaɪəns] 名 科學
scientist [ˋsaɪəntɪst] 名 科學家
例：Scientists do experiments in the lab.
科學家在實驗室做實驗。

人稱與身體部位
數字與顏色
天氣與時間
日常飲食
居家環境
服裝配件
運動與嗜好
植物與動物
英文部首輕鬆學

部首5

名詞字尾-man/-sman

MP3：R55/S55

名詞字尾 -man/-sman 表示「(從事某工作)的人」

1. mail + -man = mailman

mail [mel] 動 寄信 名 信件
mailman [ˋmel͵mæn] 名 郵差
例：The mailman delivers mail every day.
該名郵差每天遞送郵件。

2. business + -man = businessman

business [ˋbɪznɪs] 名 商業
businessman [ˋbɪznɪs͵mæn] 名 商人
例：Mr. Martin is a successful businessman.
馬汀先生是一位成功的商人。

卡通電影裡的英雄人物，如：超人Superman、蝙蝠俠Batman、蜘蛛人Spiderman，也使用了-man這個字尾哦！

3. chair + -man = chairman

chair [tʃɛr] 名 椅子
chairman [ˋtʃɛrmæn] 名 主席
例：Tony was elected chairman of the club.
湯尼獲選為該俱樂部的主席。

字尾-man/-sman雖然看起來像是指男生，實際上是指「做...的人」，不見得一定都指男生，不過在講究兩性平等的現在，很多人已經將這個字尾改成person，像是：chairperson(主席)、salesperson(銷售員)。

4. sport's + -man = sportsman

sport [sport] 名 球類運動
sportsman [ˋsports͵mæn] 名 運動員
例：The soccer player was a real sportsman.
該名足球選手是個真正的運動員。

5. sale's + -man = salesman

sale [sel] 名 銷售
salesman [ˋsels͵mæn] 名 銷售員
例：The salesman persuaded my mom into buying the magic mop.
該名銷售員說服我媽買那個神奇拖把。

部首6

名詞字尾-ful

形容詞字尾 -ful 表示「充滿...的」，它來自形容詞full(充滿的)，加在名詞之後，意思就是「充滿了(名詞)的」。

1. color + -ful = colorful

color [ˋkʌlɚ] 名 顏色

colorful [ˋkʌlɚfəl] 形 多采多姿的；鮮豔的

例：Ruby lives a colorful life.

露比的生活很多采多姿。

2. care + -ful = careful

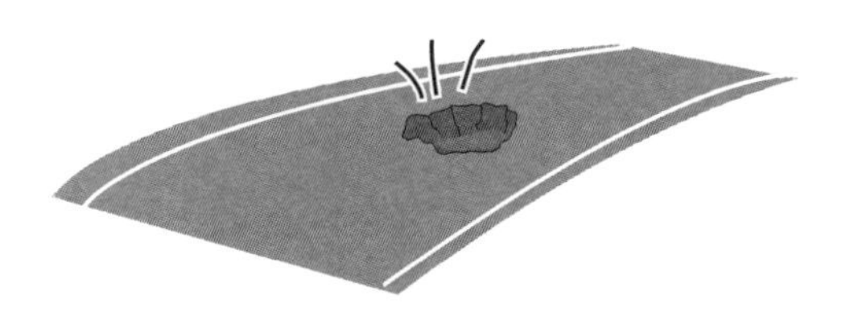

care [kɛr] 名 照顧；小心

careful [ˋkɛrfəl] 形 小心的；仔細的

例：Be careful. There is a hole in the road.

小心。路上有一個洞。

3. help + -ful = helpful

help [hɛlp] 名 動 幫助

helpful [ˋhɛlpfəl] 形 有幫助的

例：Eating vegetables is helpful to your health.

吃蔬菜對你的健康很有幫助。

4. hope + -ful = hopeful

hope [hop] 名 動 希望

hopeful [ˋhopfəl] 形 有希望的

例：We were hopeful that we could win the contest tomorrow.

我們希望我們明天能贏得比賽。

部首7

名詞字尾-less

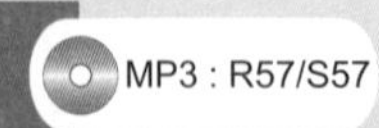

形容詞less表示「較少的、少於...的」，當做形容詞字尾用的 -less就是指「缺少...的」，正好和字尾-ful(充滿...的)相反

1. hope + -less = hopeless

hope [hop] 名 希望

hopeless [ˋhoplɪs] 形 沒希望的；沒指望的

例：He was hopeless at fixing anything.

他修理東西的能力很差。

2. use + -less = useless

use [juz] 名 使用，用途

useless [ˋjuslɪs] 形 沒有用的；無益的

例：It was useless to give him money.

給他錢是沒有用的。

3. price + -less = priceless

price [praɪs] 名 價格

priceless [ˋpraɪslɪs] 形 無價的；極珍貴的

例：The rich man gave his priceless painting to the museum.

那有錢人將這幅珍貴畫作送給博物館。

4. value + -less = valueless

value [ˋvælju] 名 重要性；價值；益處

valueless [ˋvæljulɪs] 形 無價值的；沒有用處的

例：His promises turned out to be valueless.

他的承諾最後變得一點價值也沒有。

比一比

price是指「價格」，priceless是指「無法標上價格」，也就是指「無價的」。

value是指「價值」，valueless是指「缺乏價值」，也就是指「沒有用」。

部首8

字首dis-

字首 dis- 表示「否定(not)；除去、拿開(away, off)」

1. dis- + like = dislike

like [laɪk] 動 喜歡
dislike [dɪsˋlaɪk] 動 討厭

例：My mother likes the Internet, but she dislikes on-line games.
我媽媽喜歡網路，但她討厭線上遊戲。

2. dis- + cover = discover

cover [ˋkʌvɚ] 動 覆蓋，掩蔽
名 封面
discover [dɪsˋkʌvɚ] 動 發現

例：Rita discovered that the cover girl was her high school classmate.
瑞塔發現那個封面女郎是她的高中同學。

3. dis- + able = disable

able [ˋebḷ] 形 能…的
disable [dɪsˋebḷ] 動 使無能力

例：The priority seats are for the elderly, pregnant women and disabled persons.
博愛座是要給老人、孕婦及殘障人士坐的。

部首9

字首re-

字首 re- 表示「返回(back)」或「再次(again)」

1. re- + turn = return

turn [tɝn] 動 轉彎

return [rɪ`tɝn] 動 歸還；返回

例：You should return the books to the library by Tuesday.

你應該要在週二前把書歸還給圖書館。

2. re- + do = redo

do [du] 動 做

redo [rɪ`du] 動 重做

例：The teacher asked him to redo his paper.

老師要他重做報告。

3. re- + play = replay

play [ple] 動 播放；玩；彈奏；打球；下棋

replay [rɪ`ple] 動 名 重播

例：The replay of the baseball game will be on Channel ten tonight.

那場棒球賽的重播今晚會在第10台播。

4. re- + view = review

view [vju] 動 觀看；察看

review [rɪ`vju] 動 回顧；重新檢視；複習

例：Let's review this lesson quickly.

我們快速複習一下這一課。

5. re- + mind = remind

mind [maɪnd] 動 介意

名 心智

remind [rɪ`maɪnd] 動 提醒；使想起

例：This song reminded me of the good old days.

這首歌喚起了我對過去美好時光的記憶。

部首10

字首un-

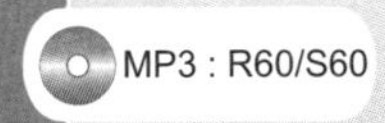

字首 un- 表示：(1) 加在動詞前面表示與該動詞所表示的行為相反
(2) 加在形容詞前面通常表示「否定」的意思

1. un- + lock = unlock

lock [lɑk] 動 鎖上
unlock [ʌnˋlɑk] 動 開…鎖
例：He kept the door unlocked so that the kids could get into the house later.
他沒把門鎖起來，好讓孩子們等一下能進屋子。

2. un- + tie = untie

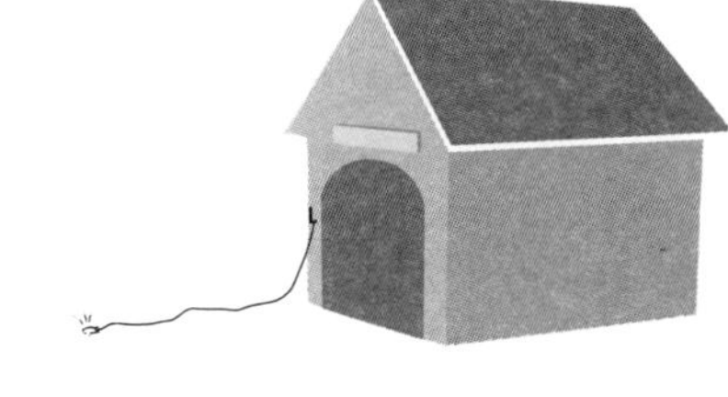

tie [taɪ] 動 綁
untie [ʌnˋtaɪ] 動 解開；鬆綁
例：She untied the dog when she arrived home.
她到家時就把狗鬆綁了。

3. un- + happy = unhappy

happy [ˋhæpɪ] 形 幸福的；開心的
unhappy [ʌnˋhæpɪ] 形 不幸的；不開心的
例：He was unhappy when he heard the news.
他聽到新聞時很不高興。

4. un- + lucky = unlucky

lucky [ˋlʌkɪ] 形 幸運的；走運的
unlucky [ʌnˋlʌkɪ] 形 不幸運；倒楣的
例：He was unlucky enough to be in the river when the flood came.
他很倒楣，洪水來時他正在河裡。

5. un- + easy = uneasy

easy [ˋizɪ] 形 容易的
uneasy [ʌn ˋizɪ] 形 不安的，擔心的
例：He was uneasy with strangers.
他和陌生人在一起很不自在。

學習計畫表

UNIT 1 ~ UNIT 5

你今天背單字了嗎？背好了記得打個「V」哦

Mon.	Tue.	Wed.	Thu.	Fri.	Sat./Sun.
日期 UNIT 1 ☐ hello ☐ hey ☐ hi	日期 UNIT 1 ☐ name ☐ Miss ☐ Ms.	日期 UNIT 1 ☐ Mr. ☐ Mrs. ☐ sir	日期 UNIT 1 ☐ yes ☐ no ☐ fine	日期 UNIT 1 ☐ sorry ☐ thank ☐ good-bye	日期 Review and Test
日期 UNIT 2 ☐ family ☐ father ☐ mother	日期 UNIT 2 ☐ brother ☐ sister ☐ grandfather	日期 UNIT 2 ☐ grandmother ☐ uncle ☐ aunt	日期 UNIT 2 ☐ cousin ☐ son ☐ daughter	日期 UNIT 2 ☐ parent ☐ husband ☐ wife	日期 Review and Test
日期 UNIT 3 ☐ people ☐ person ☐ baby	日期 UNIT 3 ☐ boy ☐ girl ☐ child	日期 UNIT 3 ☐ kid ☐ guest ☐ host	日期 UNIT 3 ☐ king ☐ queen ☐ prince	日期 UNIT 3 ☐ princess ☐ man ☐ woman	日期 Review and Test
日期 UNIT 4 ☐ head ☐ shoulder ☐ arm	日期 UNIT 4 ☐ elbow ☐ hand ☐ finger	日期 UNIT 4 ☐ thumb ☐ nail ☐ waist	日期 UNIT 4 ☐ hip ☐ leg ☐ knee	日期 UNIT 4 ☐ ankle ☐ foot ☐ toe	日期 Review and Test
日期 UNIT 5 ☐ body ☐ skin ☐ hair	日期 UNIT 5 ☐ cut ☐ haircut ☐ face	日期 UNIT 5 ☐ eye ☐ ear ☐ nose	日期 UNIT 5 ☐ mouth ☐ lip ☐ tongue	日期 UNIT 5 ☐ tooth ☐ neck ☐ throat	日期 Review and Test

UNIT 6 ~ UNIT 10

你今天背單字了嗎？背好了記得打個「V」哦

Mon.	Tue.	Wed.	Thu.	Fri.	Sat./Sun.
日期 UNIT 6 ☐ beautiful ☐ pretty ☐ handsome	日期 UNIT 6 ☐ short ☐ tall ☐ slim	日期 UNIT 6 ☐ thin ☐ thick ☐ cute	日期 UNIT 6 ☐ fat ☐ heavy ☐ young	日期 UUNIT 6 ☐ old ☐ born ☐ grow	日期 Review and Test
日期 UNIT 7 ☐ bad ☐ sad ☐ mad	日期 UNIT 7 ☐ good ☐ cool ☐ angry	日期 UNIT 7 ☐ crazy ☐ lazy ☐ fun	日期 UNIT 7 ☐ funny ☐ happy ☐ unhappy	日期 UNIT 7 ☐ nervous ☐ curious ☐ humorous	日期 Review and Test
日期 UNIT 8 ☐ clever ☐ smart ☐ wise	日期 UNIT 8 ☐ shy ☐ brave ☐ friend	日期 UNIT 8 ☐ friendly ☐ love ☐ lovely	日期 UNIT 8 ☐ lonely ☐ stupid ☐ nice	日期 UNIT 8 ☐ kind ☐ honest ☐ proud	日期 Review and Test
日期 UNIT 9 ☐ smile ☐ laugh ☐ cry	日期 UNIT 9 ☐ yell ☐ fight ☐ kiss	日期 UNIT 9 ☐ clap ☐ call ☐ loud	日期 UNIT 9 ☐ shout ☐ voice ☐ noise	日期 UNIT 9 ☐ noisy ☐ dirty ☐ tidy	日期 Review and Test
日期 UNIT 10 ☐ color ☐ black ☐ blue	日期 UNIT 10 ☐ brown ☐ golden ☐ gray	日期 UNIT 10 ☐ green ☐ orange ☐ pink	日期 UNIT 10 ☐ purple ☐ red ☐ white	日期 UNIT 10 ☐ yellow ☐ dark ☐ bright	日期 Review and Test

學習計畫表

UNIT 11 ~ UNIT 15

你今天背單字了嗎？背好了記得打個「V」哦

Mon.	Tue.	Wed.	Thu.	Fri.	Sat./Sun.
日期 UNIT 11 ☐ number ☐ zero ☐ one	日期 UNIT 11 ☐ two ☐ three ☐ four	日期 UNIT 11 ☐ five ☐ six ☐ seven	日期 UNIT 11 ☐ eight ☐ nine ☐ ten	日期 UNIT 11 ☐ eleven ☐ twelve ☐ dozen	日期 Review and Test
日期 UNIT 12 ☐ thirteen ☐ fourteen ☐ fifteen	日期 UNIT 12 ☐ sixteen ☐ seventeen ☐ eighteen	日期 UNIT 12 ☐ nineteen ☐ twenty ☐ thirty	日期 UNIT 12 ☐ forty ☐ fifty ☐ sixty	日期 UNIT 12 ☐ seventy ☐ eighty ☐ ninety	日期 Review and Test
日期 UNIT 13 ☐ few ☐ a few ☐ little	日期 UNIT 13 ☐ a little ☐ a lot ☐ all	日期 UNIT 13 ☐ any ☐ each ☐ both	日期 UNIT 13 ☐ several ☐ some ☐ less	日期 UNIT 13 ☐ many ☐ more ☐ much	日期 Review and Test
日期 UNIT 14 ☐ air ☐ sky ☐ star	日期 UNIT 14 ☐ moon ☐ sun ☐ sunny	日期 UNIT 14 ☐ cloud ☐ cloudy ☐ rain	日期 UNIT 14 ☐ rainy ☐ rainbow ☐ snow	日期 UNIT 14 ☐ snowy ☐ wind ☐ windy	日期 Review and Test
日期 UNIT 15 ☐ weather ☐ clear ☐ clean	日期 UNIT 15 ☐ freeze ☐ freezing ☐ warm	日期 UNIT 15 ☐ wet ☐ humid ☐ blow	日期 UNIT 15 ☐ thunder ☐ lightning ☐ shower	日期 UNIT 15 ☐ typhoon ☐ nature ☐ natural	日期 Review and Test

UNIT 16 ~ UNIT 20

你今天背單字了嗎？背好了記得打個「V」哦

Mon.	Tue.	Wed.	Thu.	Fri.	Sat./Sun.
日期 UNIT 16 ☐ season ☐ spring ☐ summer	日期 UNIT 16 ☐ autumn ☐ fall ☐ winter	日期 UNIT 16 ☐ birthday ☐ holiday ☐ vacation	日期 UNIT 16 ☐ celebrate ☐ festival ☐ eve	日期 UNIT 16 ☐ Christmas ☐ Easter ☐ Halloween	日期 Review and Test
日期 UNIT 17 ☐ a.m. ☐ p.m. ☐ minute	日期 UNIT 17 ☐ hour ☐ half ☐ clock	日期 UNIT 17 ☐ o'clock ☐ quarter ☐ past	日期 UNIT 17 ☐ morning ☐ noon ☐ afternoon	日期 UNIT 17 ☐ evening ☐ night ☐ midnight	日期 Review and Test
日期 UNIT 18 ☐ time ☐ day ☐ today	日期 UNIT 18 ☐ tonight ☐ tomorrow ☐ yesterday	日期 UNIT 18 ☐ week ☐ weekend ☐ Monday	日期 UNIT 18 ☐ Tuesday ☐ Wednesday ☐ Thursday	日期 UNIT 18 ☐ Friday ☐ Saturday ☐ Sunday	日期 Review and Test
日期 UNIT 19 ☐ calendar ☐ year ☐ month	日期 UNIT 19 ☐ January ☐ February ☐ March	日期 UNIT 19 ☐ April ☐ May ☐ June	日期 UNIT 19 ☐ July ☐ August ☐ September	日期 UNIT 19 ☐ October ☐ November ☐ December	日期 Review and Test
日期 UNIT 20 ☐ food ☐ seafood ☐ fresh	日期 UNIT 20 ☐ cook ☐ oil ☐ boil	日期 UNIT 20 ☐ burn ☐ order ☐ menu	日期 UNIT 20 ☐ eat ☐ soup ☐ breakfast	日期 UNIT 20 ☐ lunch ☐ brunch ☐ dinner	日期 Review and Test

學習計畫表

UNIT 21 ~ UNIT 25

你今天背單字了嗎？背好了記得打個「V」哦

Mon.	Tue.	Wed.	Thu.	Fri.	Sat./Sun.
日期 UNIT 21 ☐ meal ☐ cereal ☐ noodle	日期 UNIT 21 ☐ spaghetti ☐ pizza ☐ rice	日期 UNIT 21 ☐ dumpling ☐ meat ☐ steak	日期 UNIT 21 ☐ beef ☐ chicken ☐ egg	日期 UNIT 21 ☐ pork ☐ fish ☐ shrimp	日期 Review and Test
日期 UNIT 22 ☐ cheese ☐ tofu ☐ vegetable	日期 UNIT 22 ☐ pea ☐ bean ☐ cabbage	日期 UNIT 22 ☐ carrot ☐ corn ☐ lettuce	日期 UNIT 22 ☐ celery ☐ onion ☐ pumpkin	日期 UNIT 22 ☐ nut ☐ potato ☐ tomato	日期 Review and Test
日期 UNIT 23 ☐ fruit ☐ apple ☐ banana	日期 UNIT 23 ☐ papaya ☐ grape ☐ guava	日期 UNIT 23 ☐ lemon ☐ mango ☐ orange	日期 UNIT 23 ☐ peach ☐ pear ☐ pineapple	日期 UNIT 23 ☐ strawberry ☐ water ☐ watermelon	日期 Review and Test
日期 UNIT 24 ☐ bread ☐ bun ☐ toast	日期 UNIT 24 ☐ jam ☐ ham ☐ burger	日期 UNIT 24 ☐ hamburger ☐ sandwich ☐ hot	日期 UNIT 24 ☐ hot dog ☐ fry ☐ French fries	日期 UNIT 24 ☐ cake ☐ pie ☐ cookie	日期 Review and Test
日期 UNIT 25 ☐ salt ☐ salad ☐ sugar	日期 UNIT 25 ☐ butter ☐ pepper ☐ soy sauce	日期 UNIT 25 ☐ ketchup ☐ drink ☐ beer	日期 UNIT 25 ☐ coffee ☐ Coke ☐ juice	日期 UNIT 25 ☐ milk ☐ soda ☐ tea	日期 Review and Test

UNIT 26 ~ UNIT 30

你今天背單字了嗎？背好了記得打個「V」哦

Mon.	Tue.	Wed.	Thu.	Fri.	Sat./Sun.
日期 UNIT 26 ☐ ice ☐ cream ☐ ice cream	日期 UNIT 26 ☐ popcorn ☐ candy ☐ chocolate	日期 UNIT 26 ☐ snack ☐ sweet ☐ bitter	日期 UNIT 26 ☐ sour ☐ yummy ☐ delicious	日期 UNIT 26 ☐ hungry ☐ thirsty ☐ full	日期 Review and Test
日期 UNIT 27 ☐ in ☐ on ☐ at	日期 UNIT 27 ☐ out ☐ over ☐ above	日期 UNIT 27 ☐ below ☐ under ☐ between	日期 UNIT 27 ☐ from ☐ to ☐ near	日期 UNIT 27 ☐ close ☐ of ☐ off	日期 Review and Test
日期 UNIT 28 ☐ home ☐ homework ☐ house	日期 UNIT 28 ☐ housework ☐ door ☐ floor	日期 UNIT 28 ☐ wall ☐ gate ☐ window	日期 UNIT 28 ☐ screen ☐ yard ☐ garden	日期 UNIT 28 ☐ garage ☐ garbage ☐ balcony	日期 Review and Test
日期 UNIT 29 ☐ room ☐ live ☐ living room	日期 UNIT 29 ☐ table ☐ desk ☐ chair	日期 UNIT 29 ☐ sofa ☐ couch ☐ coach	日期 UNIT 29 ☐ bench ☐ lock ☐ locker	日期 UNIT 29 ☐ television ☐ telephone ☐ fan	日期 Review and Test
日期 UNIT 30 ☐ bed ☐ bedroom ☐ blanket	日期 UNIT 30 ☐ pillow ☐ sheet ☐ closet	日期 UNIT 30 ☐ hang ☐ hanger ☐ study	日期 UNIT 30 ☐ lamp ☐ light ☐ computer	日期 UNIT 30 ☐ print ☐ printer ☐ copy	日期 Review and Test

學習計畫表

UNIT 31 ~ UNIT 35

你今天背單字了嗎？背好了記得打個「V」哦

Mon.	Tue.	Wed.	Thu.	Fri.	Sat./Sun.
日期 UNIT 31 ☐ bath ☐ bathroom ☐ toilet	日期 UNIT 31 ☐ tub ☐ sink ☐ mirror	日期 UNIT 31 ☐ brush ☐ toothbrush ☐ soap	日期 UNIT 31 ☐ towel ☐ dry ☐ dryer	日期 UNIT 31 ☐ shelf ☐ cup ☐ lid	日期 Review and Test
日期 UNIT 32 ☐ dining room ☐ kitchen ☐ fire	日期 UNIT 32 ☐ gas ☐ stove ☐ pan	日期 UNIT 32 ☐ pot ☐ oven ☐ bowl	日期 UNIT 32 ☐ dish ☐ plate ☐ fork	日期 UNIT 32 ☐ knife ☐ chopsticks ☐ spoon	日期 Review and Test
日期 UNIT 33 ☐ tool ☐ hammer ☐ needle	日期 UNIT 33 ☐ pin ☐ pipe ☐ straw	日期 UNIT 33 ☐ rope ☐ napkin ☐ trash	日期 UNIT 33 ☐ bottle ☐ can ☐ glass	日期 UNIT 33 ☐ pair ☐ piece ☐ slice	日期 Review and Test
日期 UNIT 34 ☐ clothes ☐ dress ☐ dresser	日期 UNIT 34 ☐ coat ☐ jacket ☐ shirt	日期 UNIT 34 ☐ T-shirt ☐ underwear ☐ vest	日期 UNIT 34 ☐ pajamas ☐ shorts ☐ jeans	日期 UNIT 34 ☐ pants ☐ skirt ☐ sweater	日期 Review and Test
日期 UNIT 35 ☐ suit ☐ swimsuit ☐ raincoat	日期 UNIT 35 ☐ uniform ☐ socks ☐ shoes	日期 UNIT 35 ☐ slippers ☐ sneakers ☐ tie	日期 UNIT 35 ☐ belt ☐ button ☐ pocket	日期 UNIT 35 ☐ ring ☐ earring ☐ necklace	日期 Review and Test

UNIT 36 ~ UNIT 40

你今天背單字了嗎？背好了記得打個「V」哦

Mon.	Tue.	Wed.	Thu.	Fri.	Sat./Sun.
日期 UNIT 36 ☐ hat ☐ cap ☐ comb	日期 UNIT 36 ☐ mask ☐ scarf ☐ handkerchief	日期 UNIT 36 ☐ glove ☐ umbrella ☐ bag	日期 UNIT 36 ☐ purse ☐ wallet ☐ key	日期 UNIT 36 ☐ pen ☐ glasses ☐ box	日期 Review and Test
日期 UNIT 37 ☐ big ☐ small ☐ medium	日期 UNIT 37 ☐ large ☐ plus ☐ minus	日期 UNIT 37 ☐ enough ☐ only ☐ about	日期 UNIT 37 ☐ before ☐ after ☐ up	日期 UNIT 37 ☐ down ☐ for ☐ by	日期 Review and Test
日期 UNIT 38 ☐ come ☐ go ☐ leave	日期 UNIT 38 ☐ move ☐ play ☐ talk	日期 UNIT 38 ☐ walk ☐ sit ☐ stand	日期 UNIT 38 ☐ sleep ☐ sleepy ☐ asleep	日期 UNIT 38 ☐ wake ☐ rest ☐ lie	日期 Review and Test
日期 UNIT 39 ☐ see ☐ watch ☐ look	日期 UNIT 39 ☐ know ☐ think ☐ want	日期 UNIT 39 ☐ enjoy ☐ hate ☐ like	日期 UNIT 39 ☐ wish ☐ remember ☐ forget	日期 UNIT 39 ☐ guess ☐ need ☐ buy	日期 Review and Test
日期 UNIT 40 ☐ hobby ☐ stamp ☐ card	日期 UNIT 40 ☐ chess ☐ game ☐ puzzle	日期 UNIT 40 ☐ comic ☐ novel ☐ ball	日期 UNIT 40 ☐ balloon ☐ toy ☐ doll	日期 UNIT 40 ☐ camera ☐ photo ☐ picture	日期 Review and Test

學習計畫表

UNIT 41 ~ UNIT 45

你今天背單字了嗎？背好了記得打個「V」哦

Mon.	Tue.	Wed.	Thu.	Fri.	Sat./Sun.
日期 UNIT 41 ☐ picnic ☐ camp ☐ barbecue	日期 UNIT 41 ☐ kite ☐ Frisbee ☐ jog	日期 UNIT 41 ☐ bike ☐ hike ☐ climb	日期 UNIT 41 ☐ skate ☐ ski ☐ swim	日期 UNIT 41 ☐ surf ☐ travel ☐ trip	日期 Review and Test
日期 UNIT 42 ☐ run ☐ race ☐ kick	日期 UNIT 42 ☐ knock ☐ hop ☐ jump	日期 UNIT 42 ☐ get ☐ take ☐ bring	日期 UNIT 42 ☐ carry ☐ catch ☐ throw	日期 UNIT 42 ☐ put ☐ pull ☐ push	日期 Review and Test
日期 UNIT 43 ☐ exercise ☐ sport ☐ team	日期 UNIT 43 ☐ badminton ☐ bowling ☐ base	日期 UNIT 43 ☐ baseball ☐ basket ☐ basketball	日期 UNIT 43 ☐ dodge ball ☐ football ☐ soccer	日期 UNIT 43 ☐ golf ☐ tennis ☐ volleyball	日期 Review and Test
日期 UNIT 44 ☐ music ☐ piano ☐ drum	日期 UNIT 44 ☐ flute ☐ guitar ☐ violin	日期 UNIT 44 ☐ jazz ☐ dance ☐ sing	日期 UNIT 44 ☐ song ☐ band ☐ drama	日期 UNIT 44 ☐ movie ☐ film ☐ cartoon	日期 Review and Test
日期 UNIT 45 ☐ begin ☐ start ☐ break	日期 UNIT 45 ☐ become ☐ basic ☐ same	日期 UNIT 45 ☐ easy ☐ difficult ☐ different	日期 UNIT 45 ☐ great ☐ fair ☐ free	日期 UNIT 45 ☐ lucky ☐ safe ☐ dangerous	日期 Review and Test

UNIT 46 ~ UNIT 50

你今天背單字了嗎？背好了記得打個「V」哦

Mon.	Tue.	Wed.	Thu.	Fri.	Sat./Sun.
日期 UNIT 46 ☐ flower ☐ rose ☐ honey	日期 UNIT 46 ☐ seed ☐ grass ☐ ground	日期 UNIT 46 ☐ tree ☐ leaf ☐ ant	日期 UNIT 46 ☐ snail ☐ bee ☐ butterfly	日期 UNIT 46 ☐ spider ☐ frog ☐ snake	日期 Review and Test
日期 UNIT 47 ☐ mouse ☐ rat ☐ bat	日期 UNIT 47 ☐ insect ☐ bug ☐ cockroach	日期 UNIT 47 ☐ mosquito ☐ worm ☐ tail	日期 UNIT 47 ☐ wing ☐ nest ☐ bark	日期 UNIT 47 ☐ bite ☐ kill ☐ blood	日期 Review and Test
日期 UNIT 48 ☐ pet ☐ dog ☐ cat	日期 UNIT 48 ☐ puppy ☐ bird ☐ rabbit	日期 UNIT 48 ☐ hen ☐ duck ☐ goose	日期 UNIT 48 ☐ turkey ☐ swan ☐ sheep	日期 UNIT 48 ☐ pig ☐ cow ☐ horse	日期 Review and Test
日期 UNIT 49 ☐ animal ☐ bear ☐ deer	日期 UNIT 49 ☐ monkey ☐ donkey ☐ eagle	日期 UNIT 49 ☐ elephant ☐ ox ☐ fox	日期 UNIT 49 ☐ hippo ☐ tiger ☐ lion	日期 UNIT 49 ☐ pigeon ☐ swallow ☐ zebra	日期 Review and Test
日期 UNIT 50 ☐ parrot ☐ goat ☐ kangaroo	日期 UNIT 50 ☐ koala ☐ panda ☐ lamb	日期 UNIT 50 ☐ wolf ☐ dinosaur ☐ dragon	日期 UNIT 50 ☐ monster ☐ dolphin ☐ shark	日期 UNIT 50 ☐ turtle ☐ whale ☐ crab	日期 Review and Test

學習計畫表

英文部首1～部首10

你今天背單字了嗎？背好了記得打個「V」哦

Mon.	Tue.	Wed.	Thu.	Fri.	Sat./Sun.
日期 英文部首1 □ singer □ writer □ director □ visitor □ actor	日期 英文部首2 □ drawer □ speaker □ freezer	日期 英文部首3 □ actress □ waitress □ tigress	日期 英文部首4 □ artist □ dentist □ specialist □ scientist	日期 英文部首5 □ mailman □ businessman □ chairman □ sportsman □ salesman	日期 Review and Test
日期 英文部首6 □ colorful □ careful □ helpful □ hopeful	日期 英文部首7 □ hopeless □ useless □ priceless □ valueless	日期 英文部首8 □ dislike □ discover □ disable	日期 英文部首9 □ return □ redo □ replay □ review □ remind	日期 英文部首10 □ unlock □ untie □ unhappy □ unlucky □ uneasy	日期 Review and Test

初級片語STARTER300

本書最適合：

- ☆ 看到單字懂意思，多加一個in / on / at就霧煞煞的小學生
- ☆ 想帶著孩子一起打好英文基礎的爸爸媽媽
- ☆ 希望看到片語不再需要查字典的英文學習者

本書特色：

- ☆ 徐薇老師30堂課、5小時的精彩片語解說
- ☆ 將相似片語歸類編排，學習者透過比較，就能同時理解易混淆的片語用法
- ☆ 活用練習題，讓你即學即練、印象更深刻
- ☆ 隨書附學習進度表，學習循序漸進不脫節！

國家圖書館出版品預行編目資料

英單1500字Starter/徐薇編著-台北市 : 碩英, 2011.11
面 ; 公分. -(親子共學系列 ; 1-2)
ISBN 978-957-30681-5-0(上冊 : 平裝附光碟片)
1. 英語 2. 詞彙
805.12　　100023722

書名：英單1500字Starter（上）
編著：徐薇
責任編輯：賴依寬　黃怡欣
美術編輯：秀威整合行銷有限公司
錄音製作：風華錄音室
行銷企劃：凃聖敏

發行人：江正明
發行公司：碩英出版社
地址：106台北市大安區安和路二段70號2樓之3
電話：02-2708-5508
傳真：02-2707-1669
刷次：2011年11月 初版一刷
　　　2012年10月 二刷
定價：NT$ 400
著作權所有，非經同意禁止轉載及複製。
All Rights Reserved.
如發現本書有汙損或裝訂錯誤，請寄至本公司調換。